キャラ絵で学ぶ！

日本のお祭り図鑑

にほんのおまつりずかん

山折哲雄《やまおりてつお》・監修《かんしゅう》
いとうみつる・絵
小松事務所・文

すばる舎

はじめに

お祭りは、みんなの心のよりどころ

お祭りは楽しいね。

ワッショイ、ワッショイと威勢《いせい》よく神輿《みこし》をかついだり、元気いっぱいに踊《おど》ったり、花火があがったり、いろいろな露店《ろてん》も出て、お祭りのときだけにしか食べられないおいしいものもたくさんあるね。

お祭りは、見る人だけでなく、開催《かいさい》している人たちにとっても、ふだんとはちがう特別《とくべつ》な日だよ。

日本には数えきれないほどのお祭りがあるね。

なぜ、お祭りがあるのか、わかるかな？

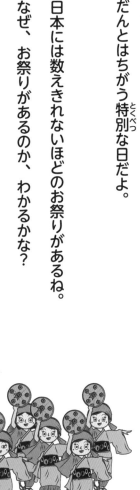

お祭りには、そのひとつひとつに意味があるんだ。

たとえば、春にはその年の豊作《ほうさく》を祈《いの》るお祭りが多く、秋には収穫《しゅうかく》に感謝《かんしゃ》するお祭りが多い。お正月なら一年間の健康《けんこう》や幸せを願《ねが》うお祭り、お盆《ぼん》には祖先《そせん》の霊《れい》をむかえ、なぐさめるお祭りが中心になります。

また、市町村などの地方自治体《じちたい》が中心になって地域《ちいき》の発展《はってん》のために開催しているお祭りもあります。

大切なのは、すべてのお祭りには〝人々《ひとびと》の思い〟がこめられていること。

だから、どんなお祭りでも、参加《さんか》している人も観客《かんきゃく》も心が熱《あつ》くなるんだ。

この本では、日本中のお祭りからキミたちに知っておいてほしいものを選《えら》びました。また、お祭りに関連《かんれん》する基本的《きほんてき》な知識《ちしき》もわかりやすく解説《かいせつ》しています。

お祭りを知るのは、その土地や日本の文化を知ることです。ぜひ、いろいろなお祭りに足を運んでください。そして、新しい発見をしてください。

山折哲雄《やまおりてつお》

キャラ絵で学ぶ！

日本のお祭り図鑑《ず》《かん》 もくじ

はじめに 002

お祭りの基《き》礎《そ》知《ち》識《しき》

人々《ひとびと》の絆《きずな》を深める日本のお祭り 010
大切に受けつがれる伝統芸能《でんとうげいのう》と民俗芸能《みんぞくげいのう》 012
お祭り用語を知るともっと楽しくなる 014
行ってみたい日本のおもな三大祭り 016

暦《こよみ》とお祭り

春のお祭り　豊年《ほうねん》の予祝《よしゅく》　021

夏のお祭り　疫病退散《えきびょうたいさん》　022

秋のお祭り　収穫《しゅうかく》への感謝《かんしゃ》　023

冬のお祭り　一陽来復《いちようらいふく》　024

春のお祭り

御柱祭《おんばしらさい》　026

長浜曳山《ながはまひきやま》まつり　030

高山祭《たかやままつり》　032

高岡御車山祭《たかおかみくるまやままつり》　034

藤原《ふじわら》まつり　036

しものせき海峡《かいきょう》まつり　038

博多《はかた》どんたく港《みなと》まつり　040

葵祭《あおいまつり》　042

日光東照宮春季例大祭《にっこうとうしょうぐうしゅんきれいたいさい》　044

三国祭《みくにまつり》　046

三社祭《さんじゃまつり》　048

相馬野馬追《そうまのまおい》　050

夏《なつ》のお祭《まつ》り

祇園祭《ぎおんまつり》 054
博多祇園山笠《はかたぎおんやまかさ》 056
宇出津《うしつ》あばれ祭《まつり》 058
那智《なち》の扇祭《おうぎまつ》り 060
郡上《ぐじょう》おどり 062
熊谷《くまがや》うちわ祭《まつり》 064
天神祭《てんじんまつり》 066
尾張津島天王祭《おわりつしまてんのうまつり》 068
青森《あおもり》ねぶた祭《まつり》 070
秋田竿燈《あきたかんとう》まつり 074
山形花笠《やまがたはながさ》まつり 076
仙台七夕《せんだいたなばた》まつり 078
よさこい祭《まつ》り 080
阿波《あわ》おどり 082
鳥取《とっとり》しゃんしゃん祭《まつり》 084
山鹿灯籠《やまがとうろう》まつり 086
沖縄全島《おきなわぜんとう》エイサーまつり 088
吉田《よしだ》の火祭《ひまつ》り 090

秋のお祭り

岸和田《きしわだ》だんじり祭《まつり》 094

長崎《ながさき》くんち 096

新居浜《にいはま》太鼓《たいこ》祭《まつ》り 100

時代祭《じだいまつり》 102

弥五郎《やごろう》どん祭《まつ》り 104

八代妙見祭《やつしろみょうけんさい》 106

冬のお祭り

高千穂《たかちほ》の夜神楽《よかぐら》 110

秩父夜祭《ちちぶよまつり》 112

赤穂義士祭《あこうぎしさい》 114

十日戎《とおかえびす》 116

野沢温泉《のざわおんせん》の道祖神《どうそじん》祭《まつ》り 118

さっぽろ雪《ゆき》まつり 120

なまはげ柴灯《せど》まつり 122

鳥羽《とば》の火祭《ひまつ》り 124

八戸《はちのへ》えんぶり 126

西大寺会陽《さいだいじえよう》 128

長崎《ながさき》ランタンフェスティバル 130

天念寺修正鬼会《てんねんじしゅじょうおにえ》 132

毘沙門天大祭《びしゃもんてんたいさい》 134

東大寺修二会《とうだいじしゅにえ》 136

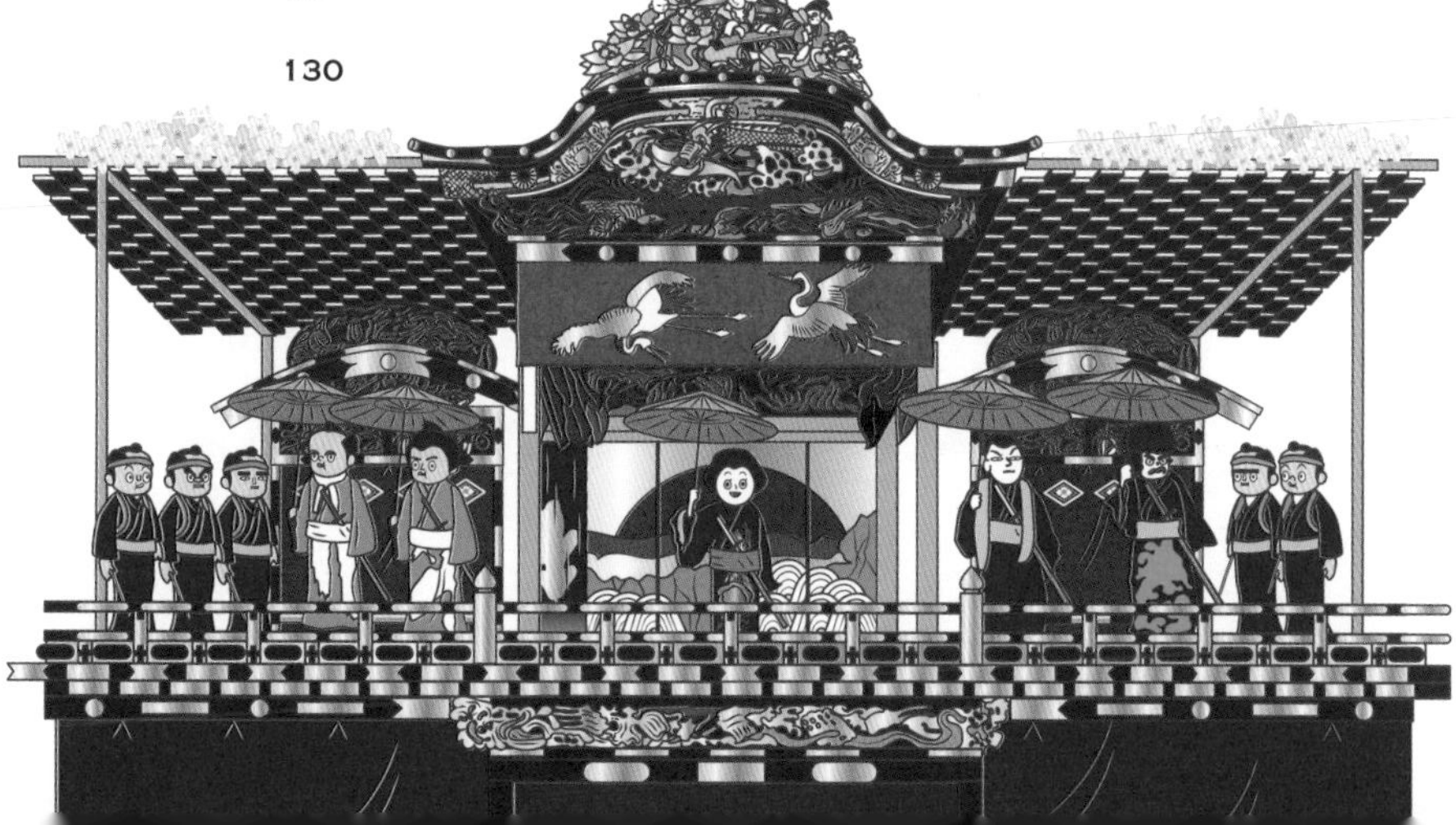

「ユネスコ無形文化遺産《むけいぶんかいさん》」にみる日本の民俗芸能《みんぞくげいのう》 139

友だちに教えたくなる お祭り豆知識《まめちしき》

1 とんでもない大きさ「日立風流物《ひたちふりゅうもの》」 018

2 神輿《みこし》と山車《だし》 052

3 見る人を魅了《みりょう》する「西馬音内盆踊り《にしもないぼんおどり》」 092

4 神無月《かんなづき》と神在祭《かみありさい》 108

5 田の神さまをもてなす「あえのこと」 138

＊ナビキャラクター＊

有形 国の重要有形民俗文化財《じゅうようゆうけいみんぞくぶんかざい》　無形 国の重要無形《むけい》民俗文化財　ユネスコ ユネスコ無形文化遺産《ぶんかいさん》

※お祭りの日程《にってい》は変《か》わることがあります。主催者《しゅさいしゃ》にご確認《かくにん》ください。

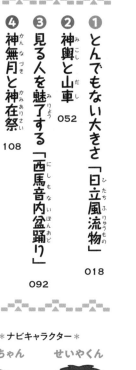

お祭りの基《き》礎《そ》知《ち》識《しき》

人々《ひとびと》の絆《きずな》を深める日本のお祭り

日本人は、この世のすべてに神が宿ると信じ、「八百万《やおよろず》の神」とよび、うやまってきました。また、日本では古来、神さまは人間の目には見えないものとされ、お祭りのときに来て、お祭りが終わると帰っていくと考えられていました。

お祭りの始まりは、日本神話の「天岩《あまのいわ》戸《と》開き」にあるといわれています。

天岩戸開きとは、太陽神であるアマテラスが天岩戸にかくれてしまい、こまった神々《かみがみ》が岩戸の前で歌い踊《おど》り、アマテラスをさそいだしたという神話です。

日本神話は、高千穂《たかちほ》の夜神楽《よかぐら》（110ページ）などになり、伝承《でんしょう》されています。

このように古代のお祭りは、神さまへの感謝《かんしゃ》の気持ちをあらわし、豊作《ほうさく》などを祈願《きがん》しておこなわれてきました。そして、神さまを楽しませるための神輿《みこし》や山車《だし》、獅子舞《ししまい》などがくわわり、人々《ひとびと》の娯楽《ごらく》文化として定着しています。

◎神事・仏事《ぶつじ》としてのお祭り

「祭り」という言葉は、神仏《しんぶつ》を「祀《まつ》る」ことからきています。全国各地《かくち》のお祭りのなかで多いのは、神さまをまつる神社の例祭《れいさい》としておこなわれているものです。

例祭とは、祭神《さいじん》や神社にゆかりのある特別《とくべつ》な日におこなわれる、その神社を代表するお祭りです。

この特別な日を「ハレ」といい、学業や仕事にはげむ日常《にちじょう》を「ケ」といいます。日本人は、お祭りという「ハレ」の日を楽しみに待ち、はなやかにおこなうことで、ふたたび「ケ」の日常を生きる活力としてきたのです。

仏教《ぶっきょう》がつたわると、仏《ほとけ》さまを神さまと同じありがたい存在《そんざい》として受けいれました。これを「神仏習合《しんぶつしゅうごう》」といいます。けれども明治維新以後《めいじいしんいご》、神社とお寺は別々《べつべつ》に分けられました。

仏教に由来するお祭りとして代表的《だいひょうてき》なのは「盆踊《ぼんおど》り」です。7月または8月のお盆の時期に祖先《そせん》の霊《れい》をなぐさめるための念仏踊《ねんぶつおど》りを起源《きげん》とし、全国各地《かくち》でおこなわれています。家族や友だちと気軽に参加《さんか》できる日本の夏の風物詩《ふうぶつし》です。

また、神仏とは関係《かんけい》のない新しいお祭りもあります。たとえば、雪祭りや桜祭り、時代祭りのような地域《ちいき》おこしのための市民《しみん》祭り、フェスティバルなども、人々《ひとびと》をつなぐために欠《か》かせません。

もっと知りたい！ 神社の始まり

神さまは、大きな岩や木、山などを依代《よりしろ》としてやってきます。お祭りのときには、神さまをむかえる神聖《しんせい》な地として榊《さかき》の枝《えだ》などを立てた祭壇《さいだん》（神籬《ひもろぎ》）をつくり、お祭りが終わるとこわされました。
やがて、その場所に神社が建《た》てられ、御幣《ごへい》などをご神体《しんたい》としてまつるようになりました。ご神体に宿る神さまを「祭神《さいじん》」といいます。

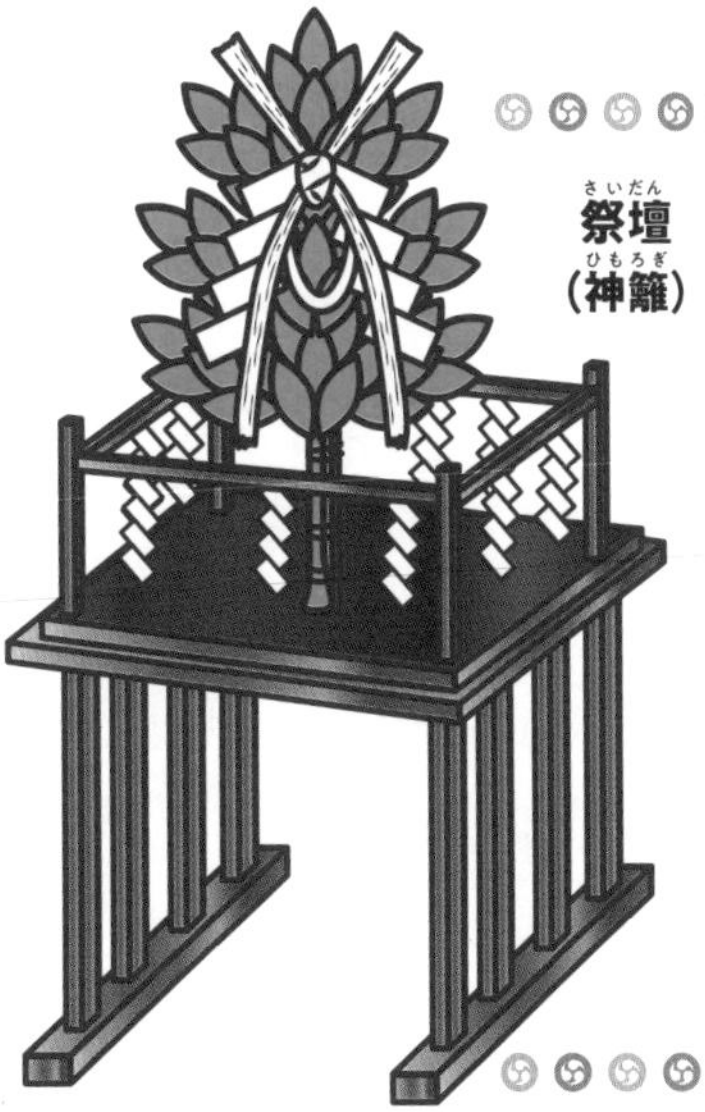

大切に受けつがれる伝統《でんとう》芸能《げいのう》と民俗《みんぞく》芸能《げいのう》

お祭りではいろいろな「芸能《げいのう》」が披露《ひろう》され、みんなを楽しませてくれます。

芸能は、舞台芸術《ぶたいげいじゅつ》としてプロが演《えん》じるようになった「伝統芸能《でんとうげいのう》」と、お祭りなどで地域《ちいき》の人々《ひとびと》が演じる「民俗芸能《みんぞくげいのう》」に大きく分けられます。

◎日本の三大伝統芸能

【能楽《のうがく》】室町《むろまち》時代に成立《せいりつ》した「能《のう》」と「狂言《きょうげん》」をあわせて「能楽」といいます。能面《のうめん》をつけて、人間だけでなく神や鬼《おに》、幽霊《ゆうれい》などになり、能は優雅《ゆうが》な美しさ、狂言はおおらかな笑いが特徴《とくちょう》です。

【人形《にんぎょう》浄瑠璃《じょうるり》文楽《ぶんらく》】古来のあやつり人形と語りの芸《げい》に三味線《しゃみせん》の伴奏《ばんそう》をつけた浄瑠璃に始まる舞台芸術です。ひとつの人形を3人であやつる「文楽」が江戸《えど》時代初期《しょき》に大阪《おおさか》（当時は大坂）で誕生《たんじょう》し、現《げん》在《ざい》の主流となっています。

【歌舞伎《かぶき》】音楽や舞《まい》と一体となった演劇《えんげき》です。江戸時代に入るころ、出雲阿国《いずものおくに》が派手《はで》な衣装《いしょう》や動きの〝かぶき踊《おど》り〟を京《きょう》都《と》で始めたのが起源《きげん》とされています。日《に》本舞踊《ほんぶよう》も歌舞伎から生まれました。

◎おもな民俗芸能

【神楽《かぐら》】神さまにささげる唄《うた》や舞《まい》。高千《たかち》穂《ほ》神楽や出雲《いずも》神楽などが有名です。また、神に仕える女性《じょせい》が舞《ま》う巫女舞《みこまい》、山中で修《しゅ》行《ぎょう》する修験者《しゅげんじゃ》の山伏《やまぶし》神楽、獅子舞《ししまい》などをくわえた太《だい》神楽などがあります。

【獅子舞《ししまい》】獅子頭《ししがしら》をかぶって演じる渡来《とらい》芸《げい》。獅子は悪霊《あくりょう》を退散《たいさん》させる霊獣《れいじゅう》とされ、儀式《ぎしき》の場をきよめる役割《やくわり》をします。

【田楽《でんがく》・田遊び】田の神さまに豊作《ほうさく》を祈《き》願《がん》する神事芸能。新年に田起こしから稲《いね》刈《か》りまで稲作《いなさく》の過程《かてい》を演じて豊作を予《よ》祝《しゅく》（前もって祝《いわ》うこと）するものと、歌い踊りながら田植えをして田の神さまをもてなすものがあります。

【祝福芸《しゅくふくげい》】日本には、良い言葉を口にすると良いことが起こるという言霊信仰《ことだましんこう》があり、新春などに家々《いえいえ》を訪《たず》ねてお祝いの言葉をのべて舞《ま》ったりします。博多松囃《はかたまつばや》子《し》や三河万歳《みかわまんざい》などが知られています。

【風流踊《ふりゅうおどり》】はなやかな衣装《いしょう》で、お囃子《はやし》にあわせて集団《しゅうだん》でにぎやかに踊ること。山《だ》車《し》とともに練《ね》り歩くものもあります。

「風流《ふりゅう》」とは、平安《へいあん》時代に生まれた〝都《みやこ》風《ふう》に洗練《せんれん》された美〟をたたえる言葉です。

全国41の風流踊がユネスコ無形文化遺産《むけいぶんかいさん》に登録《とうろく》されています（142ページ）。

もっと知りたい! **舞《まい》と踊《おど》りのちがい**

今では「舞」と「踊り」は同じように使われますが、本来、舞は「回る動き」、踊りは「飛《と》び跳《は》ねる動き」をいいます。
たとえば巫女舞《みこまい》は、神と一体となるために何度も回ります。飛び跳ねる動きといえば、青森《あおもり》ねぶた祭《まつり》の跳人《はねと》でしょう。
また、少数によるものを舞、集団《しゅうだん》によるものを踊りとよぶ傾向《けいこう》にあります。

青森《あおもり》ねぶた祭《まつり》の跳人《はねと》は、
71ページを見てね

巫女舞《みこまい》

お祭り用語を知るともっと楽しくなる

お祭りの言葉は、おとなでも読めない漢字だったり、同じことでも言い方が地《ち》域《いき》によってちがっていたり、むずかしいものがたくさんあります。

ここでは、知っておくと、よりお祭りを深く知ることができるお祭り用語を解《かい》説《せつ》します。ちょっと知っているだけで、お祭りがもっともっと楽しくなるよ。

◎お祭りの流れ

【氏神《うじがみ》・氏子《うじこ》】氏神とは地域の守り神であり、「鎮守《ちんじゅ》」「産土神《うぶすながみ》」ともよばれます。氏子は、氏神をまつる人々《ひとびと》のことです。

【宵宮《よいみや》】本祭《ほんまつり》の前夜におこなわれます。「宵祭《よいまつり》」ともいわれ、かつて、お祭りは神さまの時間である夜が主体でした。

【宮神輿《みやみこし》】神社におさめられている神輿のこと。ご神体《しんたい》や神霊《しんれい》が宿った依代《よりしろ》を神輿にのせて氏子町内を巡行《じゅんこう》することを「御幸《みゆき》」や「神幸《しんこう》」といいます。

【お旅所《たびしょ》】神輿巡行中の休憩地《きゅうけいち》または宿《しゅく》泊地《はくち》。本宮《ほんぐう》（本社）に対して「行宮《あんぐう》」ともいいます。神輿巡行の目的地《もくてきち》であり、お旅所祭《たびしょさい》がおこなわれます。

【渡御《とぎょ》・還御《かんぎょ》】神輿がお旅所へ向かうのが渡御、本社へもどるのが還御。本社で神幸祭《しんこうさい》・還幸祭《かんこうさい》がおこなわれます。

【宮出し・宮入り】宮出しは、神輿や山《だ》車《し》などの練行列《ねりぎょうれつ》が本社の境内《けいだい》からくりだすこと。巡行後、境内へくりこむ宮入りで、お祭りは終了《しゅうりょう》となります。

【直会《なおらい》】お祭りのあと、神前にそなえたお神酒《みき》や神饌《しんせん》（米や地元のごちそう）をさげて、氏子一同でいただくこと。神と人が一体になる意味があります。

◎お祭りの意味

【ケガレ・みそぎ】死や病、悪行《あくぎょう》などにつながる不浄《ふじょう》を「ケガレ」とよび、火や水、塩などで身心《しんしん》をきよめることを「みそぎ」といいます。また、人形《ひとがた》にケガレをうつして川に流すなど、お祭りは身心にたまったケガレをはらう神事です。

【紙垂《しで》】注連縄《しめなわ》や御幣《ごへい》、玉串《たまぐし》に垂《た》らす、ヒラヒラした白い紙のこと。邪悪《じゃあく》なものをはらい、恵《めぐ》みの雨をふらせる稲妻《いなずま》をあらわし、神さまの衣服《いふく》ともされます。

【注連縄《しめなわ》】俗《ぞく》世界との境界《きょうかい》に縄《なわ》を張《は》って聖域《せいいき》をしめす意味があります。

【御幣《ごへい》】「おんべ」「幣《ぬさ》」ともよばれ、不浄をきよめるために使われます。

【玉串《たまぐし》】神前にそなえる榊《さかき》の枝《えだ》のこと。

【縁日《えんにち》】神仏《しんぶつ》と縁《えん》をむすぶ日。たとえば、七福神《しちふくじん》の縁日は元日《がんじつ》から7日。このときに七福神めぐりをすると、一年間の福《ふく》をさずけてもらえるとされます。

【七福神《しちふくじん》】恵比寿《えびす》、大黒天《だいこくてん》、福禄寿《ふくろくじゅ》、毘《び》沙門天《しゃもんてん》、布袋《ほてい》、寿老人《じゅろうじん》、弁財天《べんざいてん》のこと。

【縁起物《えんぎもの》】古来、良い縁をえれば開運をもたらし、悪い縁にあえば不運《ふうん》の結果《けっか》をまねくとされ、悪魔《あくま》をはらう破魔矢《はまや》や福を集める熊手《くまで》、七転《ななころ》び八起《やお》きのダルマ、まねき猫《ねこ》などを縁起物といいます。

行ってみたい日本のおもな三大祭り

日本全国の「三大祭り」といわれる有名なお祭りをとりあげました。これを見ると、それぞれのお祭りの人気ランキングがわかります。なお、開催者《かいさいしゃ》の自称《じしょう》であり、3つにかぎらないものも多く、この本で紹介《しょうかい》していないお祭りもあります。ぜひ、自分の目で見てね。

日本三大祭り	祇園祭《ぎおんまつり》(京都府《きょうとふ》)・天神祭《てんじんまつり》(大阪《おおさか》府)・神田祭《かんだまつり》(東京《とうきょう》都)
日本三大美祭《びさい》	祇園祭(京都府)・秩父夜祭《ちちぶよまつり》(埼玉《さいたま》県)・高山祭《たかやままつり》(岐阜《ぎふ》県)
日本三大奇祭《きさい》	なまはげ柴灯《せど》まつり(秋田《あきた》県)・御柱祭《おんばしらさい》(長野《ながの》県)・吉田《よしだ》の火祭り(山梨《やまなし》県)
日本三大勅祭《ちょくさい》	葵祭《あおいまつり》・石清水祭《いわしみずさい》(ともに京都府)・春日祭《かすがさい》(奈良《なら》県)
三大御田植祭《おたうえさい》	磯部《いそべ》の御神田《おみた》(三重《みえ》県)・香取神宮《かとりじんぐう》御田植祭(千葉《ちば》県)・住吉大社《すみよしたいしゃ》御田植神事(大阪府)ほか
三大曳山《ひきやま》祭り	祇園祭(京都府)・長浜曳山《ながはまひきやま》まつり(滋賀《しが》県)・高山祭(岐阜県)
三大荒神輿《あらみこし》	帆手祭《ほてまつり》(宮城《みやぎ》県)・灘《なだ》のけんか祭り(兵庫《ひょうご》県)・北条《ほうじょう》秋祭り(愛媛《えひめ》県)
三大けんか祭り	角館《かくのだて》のお祭り(秋田県)・飯坂《いいざか》けんか祭り(福島《ふくしま》県)・伏木曳山祭《ふしきひきやままつり》(富山《とやま》県) 岸和田《きしわだ》だんじり祭《まつり》(大阪府)・灘のけんか祭り(兵庫県)・新居浜太鼓祭《にいいはまたいこまつ》り(愛媛県) 伊万里《いまり》トンテントン祭り(佐賀《さが》県)
三大はだか祭り	西大寺会陽《さいだいじえよう》(岡山《おかやま》県)・国府宮《こうのみや》はだか祭《まつり》(愛知《あいち》県)・玉取祭《たまとりさい》(福岡《ふくおか》県)ほか
三大火祭り	野沢温泉《のざわおんせん》の道祖神《どうそじん》祭り(長野県)・那智《なち》の扇《おうぎ》祭り(和歌山《わかやま》県)・鞍馬《くらま》の火祭《ひまつり》(京都府)ほか
三大提灯《ちょうちん》祭り	秋田竿燈《かんとう》まつり(秋田県)・尾張津島天王祭《おわりつしまてんのうまつり》(愛知県)・二本松《にほんまつ》の提灯祭り(福島県)
三大灯籠《とうろう》祭り	山鹿《やまが》灯籠まつり(熊本《くまもと》県)・弥彦燈籠《やひことうろう》まつり(新潟《にいがた》県)・宮津《みやづ》燈籠流し(京都府)
三大盆踊《ぼんおど》り	阿波《あわ》おどり(徳島《とくしま》県)・郡上《ぐじょう》おどり(岐阜《ぎふ》県)・西馬音内《にしもない》盆踊り(秋田県)
三大船神事	ホーランエンヤ(島根《しまね》県)・天神祭(大阪府)・管弦祭《かんげんさい》(広島《ひろしま》県)
三大船祭り	天神祭(大阪)・管絃祭(広島県)・真鶴貴船《まなづるきぶね》まつり(神奈川《かながわ》県)・塩竈《しおがま》みなと祭《まつり》(宮城県)
三大川祭り	尾張津島天王祭(愛知県)・管絃祭(広島県)・天神祭 または 住吉祭《すみよしまつり》(ともに大阪府)
三大祇園祭《ぎおんまつり》	祇園祭(京都府)・博多《はかた》祇園山笠《やまかさ》(福岡県)・会津田島祇園祭《あいづたじまぎおんさい》(福島県)
三大ねぶた祭り	青森《あおもり》ねぶた祭《まつり》・弘前《ひろさき》ねぷたまつり・五所川原立佞武多《ごしょがわらたちねぶた》(いずれも青森県)
三大七夕《たなばた》祭り	仙台《せんだい》七夕まつり(宮城県)・湘南《しょうなん》ひらつか七夕まつり(神奈川県) 一宮《いちのみや》七夕まつり(愛知県)

三大くんち	長崎《ながさき》くんち（長崎県）・唐津《からつ》くんち（佐賀県）・博多《はかた》おくんち（福岡県）
三大えびす	今宮戎《いまみやえびす》神社十日戎《とおかえびす》（大阪府）・西宮《にしのみや》神社十日えびす（兵庫県）・京都ゑびす神社十日ゑびす大祭《たいさい》（京都府）
三大だるま市《いち》	毘沙門天大祭《びしゃもんてんたいさい》（静岡《しずおか》県）・深大寺《じんだいじ》だるま市（東京都）・高崎《たかさき》だるま市（群馬《ぐんま》県）
三大囃子《ばやし》	祇園囃子（京都府）・神田囃子（東京都）・佐原《さわら》囃子（千葉県）・花輪《はなわ》ばやし（秋田県）
三大神楽《かぐら》	高千穂《たかちほ》神楽（宮崎《みやざき》県）・出雲《いずも》神楽（島根県）・淡路國生《あわじくにう》み創生《そうせい》神楽（兵庫県）
三大子供歌舞伎《こどもかぶき》	長浜曳山《ながはまひきやま》子ども歌舞伎（滋賀県）・曳山子供歌舞伎（石川《いしかわ》県）・小鹿野《おがの》歌舞伎（埼玉県）
三大流鏑馬《やぶさめ》	葵祭（京都府）・鶴岡八幡宮例大祭《つるがおかはちまんぐうれいたいさい》（神奈川県）・若一王子《にゃくいちおうじ》祭り（長野県）

友だちに教えたくなる
お祭り豆知識《まめちしき》❶

とんでもない大きさ「日立風流物《ひたちふりゅうもの》」

有形　無形　ユネスコ

日立風流物《ひたちふりゅうもの》は、あやつり人形をのせた巨大《きょだい》なからくり仕掛《じか》けの山車《だし》です。

茨城《いばらき》県日立市宮田町《みやたちょう》の神峰《かみね》神社大祭《だいさい》礼《れい》（7年に一度の5月3日〜5日）に奉納《ほうのう》される4地区の山車のうち北町《きたちょう》地区1基《き》が山車として初《はじ》めて国の重要有形民俗《じゅうようゆうけいみんぞく》文化財《ぶんかざい》（1959年）となり、全4基が人形操作《そうさ》をふくめて国の重要無形《むけい》民俗文化財（1977年）、ユネスコ無形文化遺《い》産《さん》（2009年）、さらに山・鉾《ほこ》・屋台行事（2016年）のひとつに登録《とうろく》されています。

人形芝居《しばい》は江戸《えど》時代中期からといわれ、表館《おもてやかた》の五層《ごそう》の舞台《ぶたい》が左右に開き、裏山《うらやま》への早がわりも見ものです。毎年4月の「日立さくらまつり」で当番の1基が公開されます。

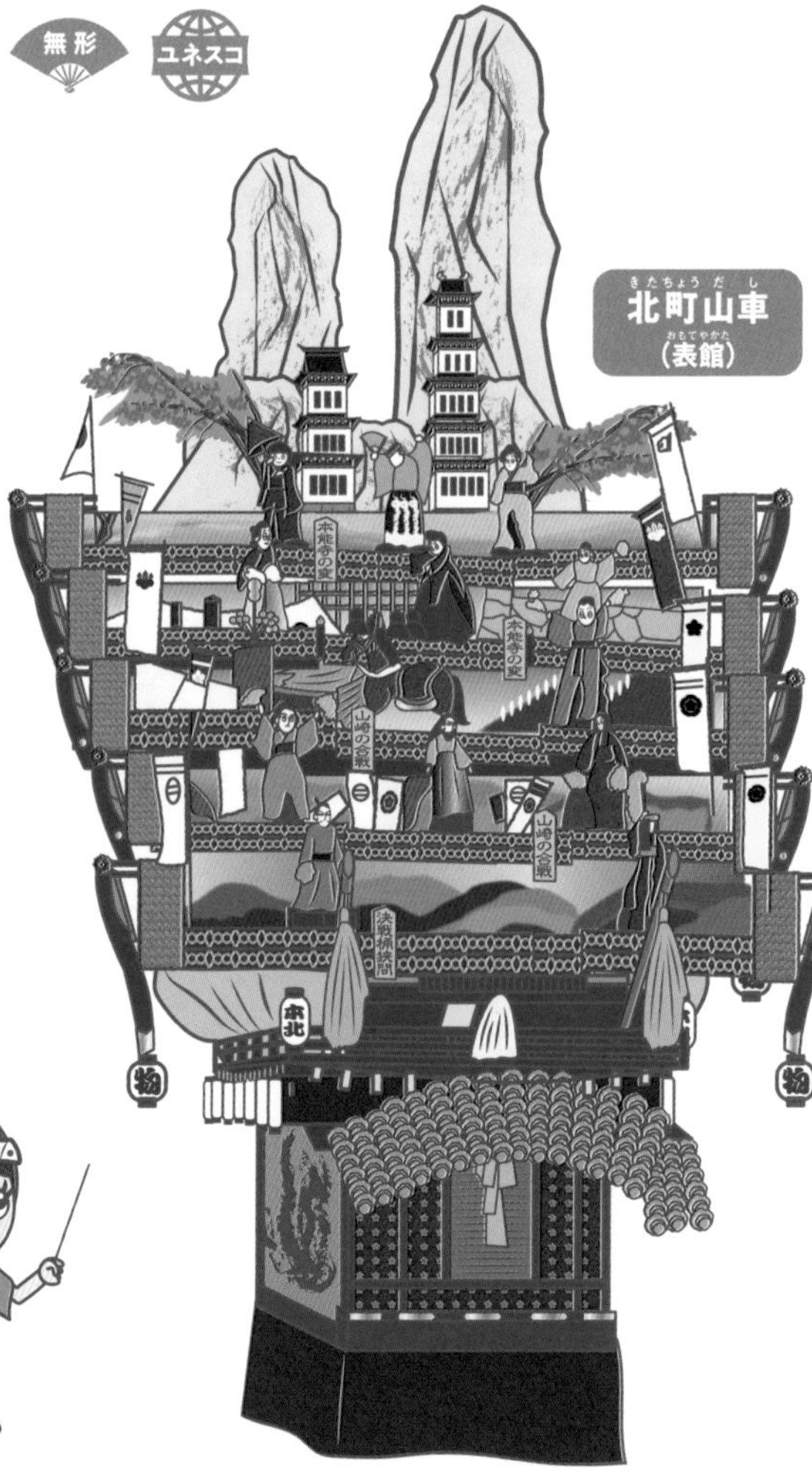

暦《こよみ》とお祭り

昔ながらの神社の祭礼は15日あたりにおこなわれています。たとえば、飛騨《ひだ》の「高山祭《たかやままつり》」、京《きょう》都《と》の「葵祭《あおいまつり》」、浅草《あさくさ》の「三社《さんじゃ》祭《まつり》」などなど。それは、旧暦《きゅうれき》に由来しているからです。

旧暦では、毎月1日が新月《しんげつ》、15日が満月《まんげつ》です。昔の人は、月の満《み》ち欠《か》けで日付《ひづけ》を確認《かくにん》していたのです。これを「太陰暦《たいいんれき》」といいます。しかし、それだけでは地球の公転周期《しゅうき》からズレてしまいます。そこで太陽の運行も参考《さんこう》に、昼と夜の長さが変《か》わる境《さかい》の日を「夏至《げし》」「冬至《とうじ》」と決めて暦をつくったのが、旧暦とよばれる「太陰《たいいん》太陽暦《たいようれき》」です。

地球は、太陽のまわりを1年間（約《やく》３６５日）で1周します。その1年間を4等分した春夏秋冬を「四季《しき》」といい、24等分したものを「二十四節気《にじゅうしせっき》」といいます。「立春《りっしゅん》」「春分《しゅんぶん》」など季節《きせつ》を感じさせる言葉がならびますね。

二十四節気は古代中国で生まれ、日本でも昔から使われています。ただ、現在《げんざい》使われている「新暦《しんれき》」とよぶ太陽暦（正式名称《せいしきめいしょう》はグレゴリオ暦《れき》）では、旧暦よりも1か月ほど早くなります。立春の２月４日ころというと、現在ではとても春とは思えません。

そのため旧暦のまま開催《かいさい》されているお祭りもあります。二十四節気を知っておくと、お祭りの季節感も感じられます。

二十四節気《にじゅうしせっき》

春	立春《りっしゅん》	2月4日ころ
	雨水《うすい》	2月19日ころ
	啓蟄《けいちつ》	3月5日ころ
	春分《しゅんぶん》	3月21日ころ
	清明《せいめい》	4月5日ころ
	穀雨《こくう》	4月20日ころ
夏	立夏《りっか》	5月5日ころ
	小満《しょうまん》	5月21日ころ
	芒種《ぼうしゅ》	6月6日ころ
	夏至《げし》	6月21日ころ
	小暑《しょうしょ》	7月7日ころ
	大暑《たいしょ》	7月23日ころ
秋	立秋《りっしゅう》	8月7日ころ
	処暑《しょしょ》	8月23日ころ
	白露《はくろ》	9月8日ころ
	秋分《しゅうぶん》	9月23日ころ
	寒露《かんろ》	10月8日ころ
	霜降《そうこう》	10月24日ころ
冬	立冬《りっとう》	11月7日ころ
	小雪《しょうせつ》	11月22日ころ
	大雪《たいせつ》	12月7日ころ
	冬至《とうじ》	12月21日ころ
	小寒《しょうかん》	1月5日ころ
	大寒《だいかん》	1月20日ころ

春のお祭り ◆ 豊年《ほうねん》の予祝《よしゅく》

春は、2月4日ころの「立春《りっしゅん》」に始まります。旧暦《きゅうれき》では現在《げんざい》の3月にあたり、まさに農耕《のうこう》を始める季節《きせつ》です。

春には、山からおりてくる田の神さまをむかえ、作物がすくすくと育つように願《ねが》い、祈年祭《きねんさい》がおこなわれます。

立春後の最初《さいしょ》の午《うま》の日である「初午《はつうま》」には、稲荷神《いなりしん》をおまつりします。これは豊作祈願《ほうさくきがん》と稲荷信仰《しんこう》が結びついたもので、京都《きょうと》の伏見稲荷大社《ふしみいなりたいしゃ》では「稲荷山《いなりやま》の神が春先に馬に乗ってあらわれた」とつたわり、初午大祭《はつうまたいさい》がおこなわれます。

また、春と秋の「春分《しゅんぶん》」「秋分《しゅうぶん》」にもっとも近い戊《いぬ》の日を「社日《しゃにち》」といい、土地の神さまをまつって豊作を祈《いの》ります。

初午《はつうま》 ◎立春《りっしゅん》後の最初《さいしょ》の午《うま》の日

かつては、田の畔《あぜ》にまつられたお稲荷《いなり》さんの祠《ほこら》に幟旗《のぼりばた》を立て、いなり寿司《すし》をそなえ、子どもたちにお菓子《かし》をふるまう風習が各地《かくち》にあった。

夏のお祭り

疫病退散《えきびょうたいさん》

夏越《なごし》の祓《はらえ》 ◎6月30日

一年のちょうど半分の日に、多くの神社で茅《ち》の輪《わ》くぐりがおこなわれる。最初《さいしょ》に左回り、次に右回りと8の字をえがいて3回くぐることで、ケガレを落とす。

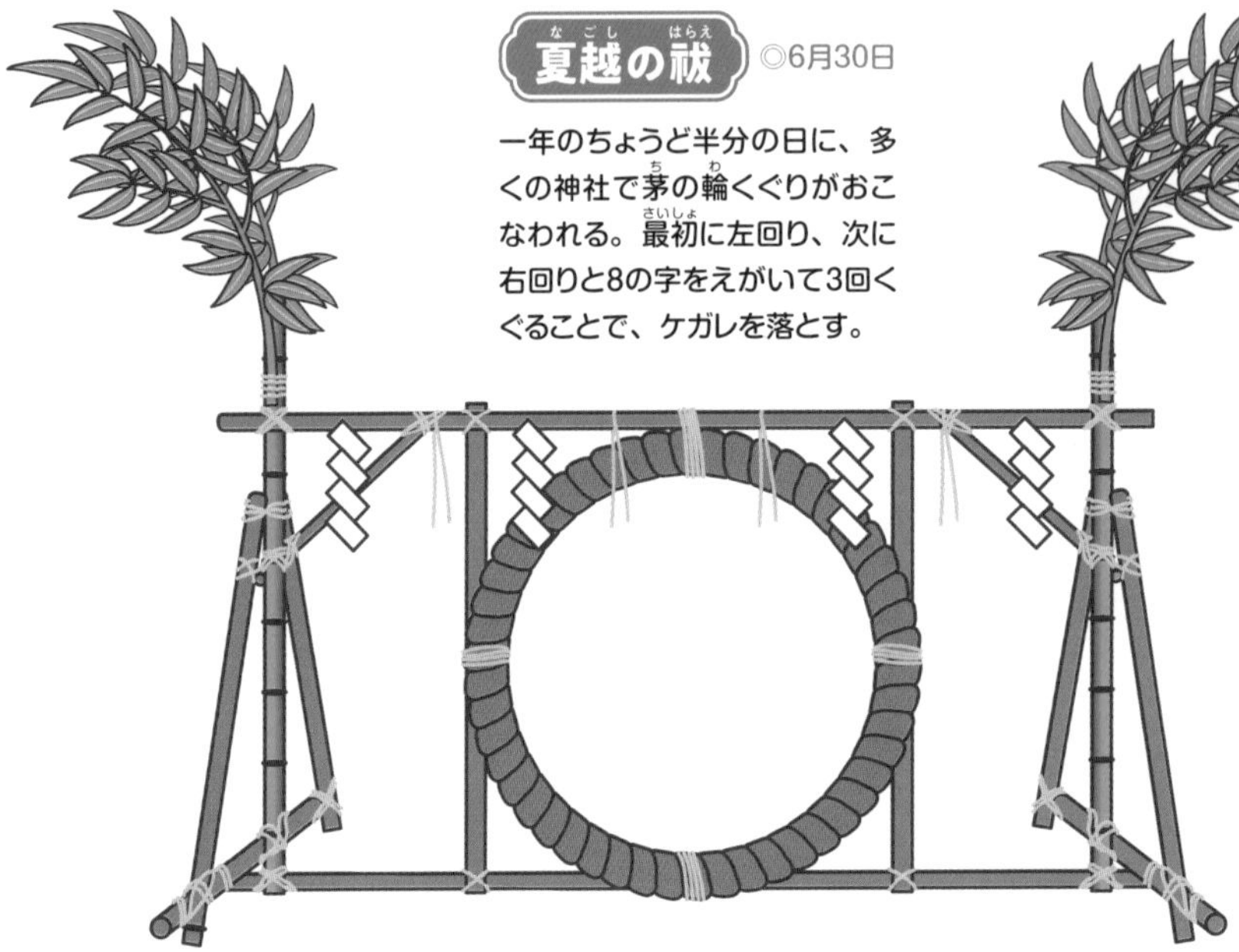

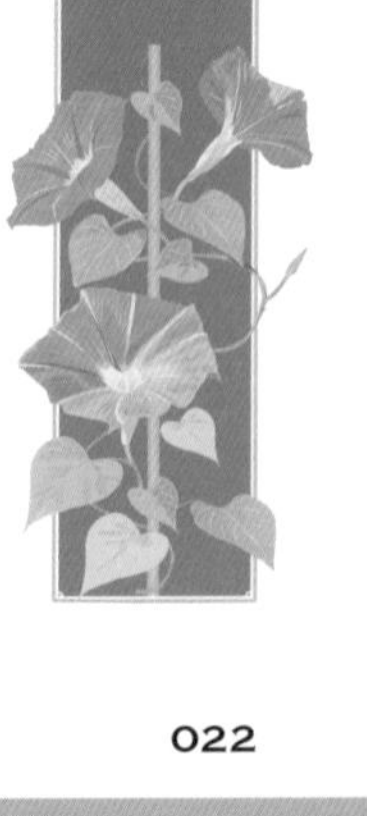

夏の始まりは5月5日ころの「立夏《りっか》」。旧暦《きゅうれき》では、現在《げんざい》の6月にあたります。

日本の夏は蒸《む》し暑く、「暑気払《しょきばら》い」には「夏の暑さによる病《やまい》をはらう」という意味があります。京都《きょうと》の「祇園祭《ぎおんまつり》」は疫《えき》病《びょう》退散《たいさん》を祈願《きがん》して平安《へいあん》時代に始まりました。農村部では、日がのびて長い農作業による眠気《ねむけ》をはらうために夏祭りをおこないました。「青森《あおもり》ねぶた祭《まつり》」や「秋《あき》田竿燈《たかんとう》まつり」などが有名です。

また、6月30日の「夏越《なごし》の祓《はらえ》」や、祖先の霊《れい》をなぐさめるお盆《ぼん》の行事がおこなわれます。「夏越」とは無事《ぶじ》に夏を越《こ》して秋をむかえることを意味し、大晦日《おおみそか》には「年越《としこし》の祓《はらえ》」があります。

秋のお祭り ◆◆◆◆ 収穫《しゅうかく》への感謝《かんしゃ》

秋の始まりは8月7日ころの「立秋《りっしゅう》」。旧暦《きゅうれき》では、現在《げんざい》の9月です。

おもに東日本では旧暦10月10日を「十日夜《とおかんや》」とよび、稲刈《いねか》りが終わり、田の神さまが山へ帰る日とされています。

秋のお祭りでもっとも重要《じゅうよう》なのは収穫《しゅうかく》祭《さい》です。奈良《なら》時代から、伊勢神宮《いせじんぐう》では天《てん》皇《のう》が刈《か》りとった稲の初穂《はつほ》を天照大神《あまてらすおおみかみ》にそなえる「神嘗祭《かんなめさい》」が伝承《でんしょう》されています。

これにあわせて、全国いたるところの小さな神社まで秋祭りがおこなわれます。

秋祭りには、収穫への感謝《かんしゃ》以外《いがい》にも、地域《ちいき》の守り神である氏神《うじがみ》さま、氏子《うじこ》とよばれる地域の人々《ひとびと》への感謝の気持ちがこめられています。

神嘗祭《かんなめさい》 ◎10月15日～17日

まず外宮《げくう》で22時と翌《よく》2時、神前に新米の飯《めし》・餅《もち》・神酒《みわ》をはじめ、海の幸《さち》、山の幸をそなえる儀式《ぎしき》がおこなわれ、翌日《よくじつ》、内宮《ないくう》でも同様におこなわれる。

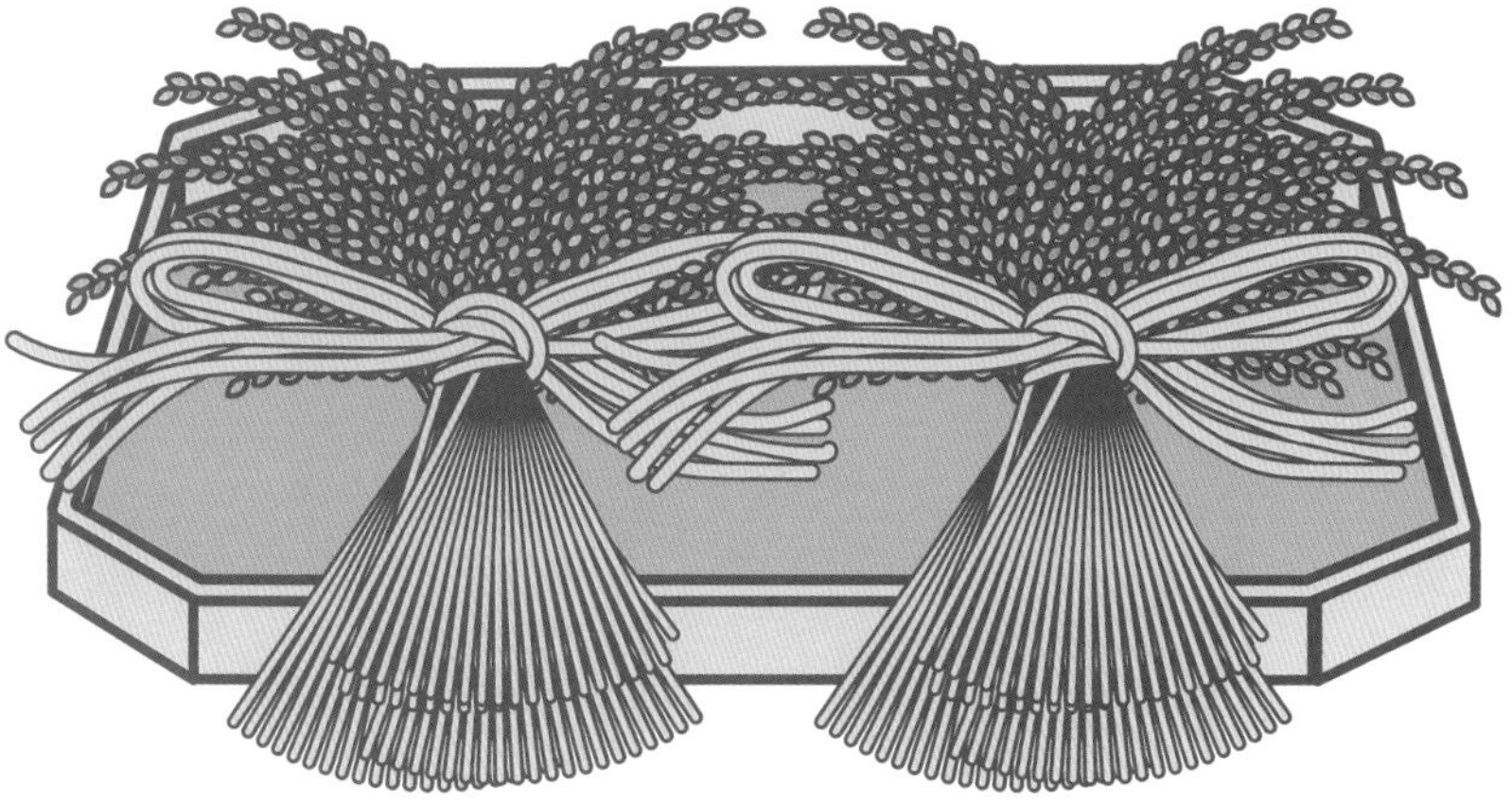

冬のお祭り

◆◆◆◆

一陽来復《いちようらいふく》

冬の始まりは11月7日ころの「立冬《りっとう》」。旧暦《きゅうれき》では現在《げんざい》の12月。この日から「立《りっ》春《しゅん》」の前日（節分《せつぶん》）までが冬です。

12月21日ころの「冬至《とうじ》」は、一年のうちで昼間がもっとも短い日です。冬至を境《さかい》にふたたび昼間が長くなっていくことから、「一陽来復《いちようらいふく》＝運気が上昇《じょうしょう》に転じ、福がやってくる」とされています。

節分の豆まきは、災《わざわ》いをもたらす鬼《おに》を追いはらい、福をよびこむ行事です。節分は、かつては冬から春にかぎらず四季《しき》の変《か》わりめを意味していました。

お寺では大晦日《おおみそか》に厄《やく》をはらい、新年の始まりに国家安泰《こっかあんたい》・五穀豊穣《ごこくほうじょう》などを祈祷《きとう》する「修正会《しゅしょうえ》」がおこなわれます。

冬至《とうじ》 ◎12月21日ころ

魔除《まよ》けの赤色の小豆《あずき》がゆ、運がよくなるように「ん」がつく南京《なんきん》（かぼちゃ）、蓮根《れんこん》などを食べる風習がある。また、ゆず湯に入ると風邪《かぜ》をひかないとされる。

春のお祭り

御柱祭《おんばしらさい》

7年ごとにおこなわれる氏子《うじこ》総出《そうで》のお祭り

4月初旬《しょじゅん》〜6月中旬《ちゅうじゅん》
長野《ながの》県諏訪《すわ》市ほか

建御柱《たておんばしら》

境内《けいだい》に4本立てる御柱《おんばしら》は神さまが降《お》りてくる目印《めじるし》であり、結界《けっかい》（聖域《せいいき》）をしめす。

御柱祭《おんばしらさい》は諏訪大社最大《すわたいしゃさいだい》の神事で正式《せいしき》名称《めいしょう》を「式年造営《しきねんぞうえい》御《み》柱《はしら》大祭《たいさい》」といいます。

諏訪大社は、上社《かみしゃ》（前宮《まえみや》・本宮《ほんみや》）と下《しも》社《しゃ》（春宮《はるみや》・秋宮《あきみや》）の総称《そうしょう》です。7年め（満《まん》6年）ごと寅年《とらどし》と申年《さるどし》に、上社本宮の宝殿《ほうでん》と、下社は春宮と秋宮の宝殿を交《こう》互《ご》につくりかえ、4つのお宮の境内《けいだい》に4本ずつ計16本の御柱《おんばしら》が立てられます。

重さ10トンをこえるモミの巨木《きょぼく》を、木《き》遣《や》り唄《うた》にあわせて2000人以上《いじょう》が人力のみで曳《ひ》いて各《かく》お宮まで運びます。

その後、諏訪地方の各《かく》神社でも小宮祭《こみやさい》がおこなわれ、御柱の技《わざ》と伝統《でんとう》が引き継《つ》がれています。

お祭りの由来

旧暦《きゅうれき》1月は寅《とら》の月、7月は申《さる》の月。春と秋の初《はじ》めにあたり、草木の芽吹《めぶ》きや作物の成熟《せいじゅく》に通じ、縁起《えんぎ》がよいことから寅年《とらどし》と申年《さるどし》に社殿《しゃでん》をつくりかえるようになった。起源《きげん》は平安《へいあん》時代以前《いぜん》とされる。

1分でざっくりわかる「御柱祭《おんばしらさい》」

諏訪《すわ》大社《たいしゃ》周辺《しゅうへん》に住む氏子《うじこ》総動員《そうどういん》で、上社《かみしゃ》・下社《しもしゃ》それぞれにおこなわれます。
上社は約《やく》20km、下社は約12km、山から切り出した巨木《きょぼく》を人力のみで曳《ひ》き、境内《けいだい》に立てます。
両社、大勢《おおぜい》の若衆《わかしゅう》をのせた「木落とし」は、ケガ人や死者が出るほど壮絶《そうぜつ》です。

会場 諏訪《すわ》大社《たいしゃ》(上社《かみしゃ》・下社《しもしゃ》)ほか　**問い合わせ** 諏訪地方観光連盟《かんこうれんめい》(諏訪市観光課《かんこうか》内)

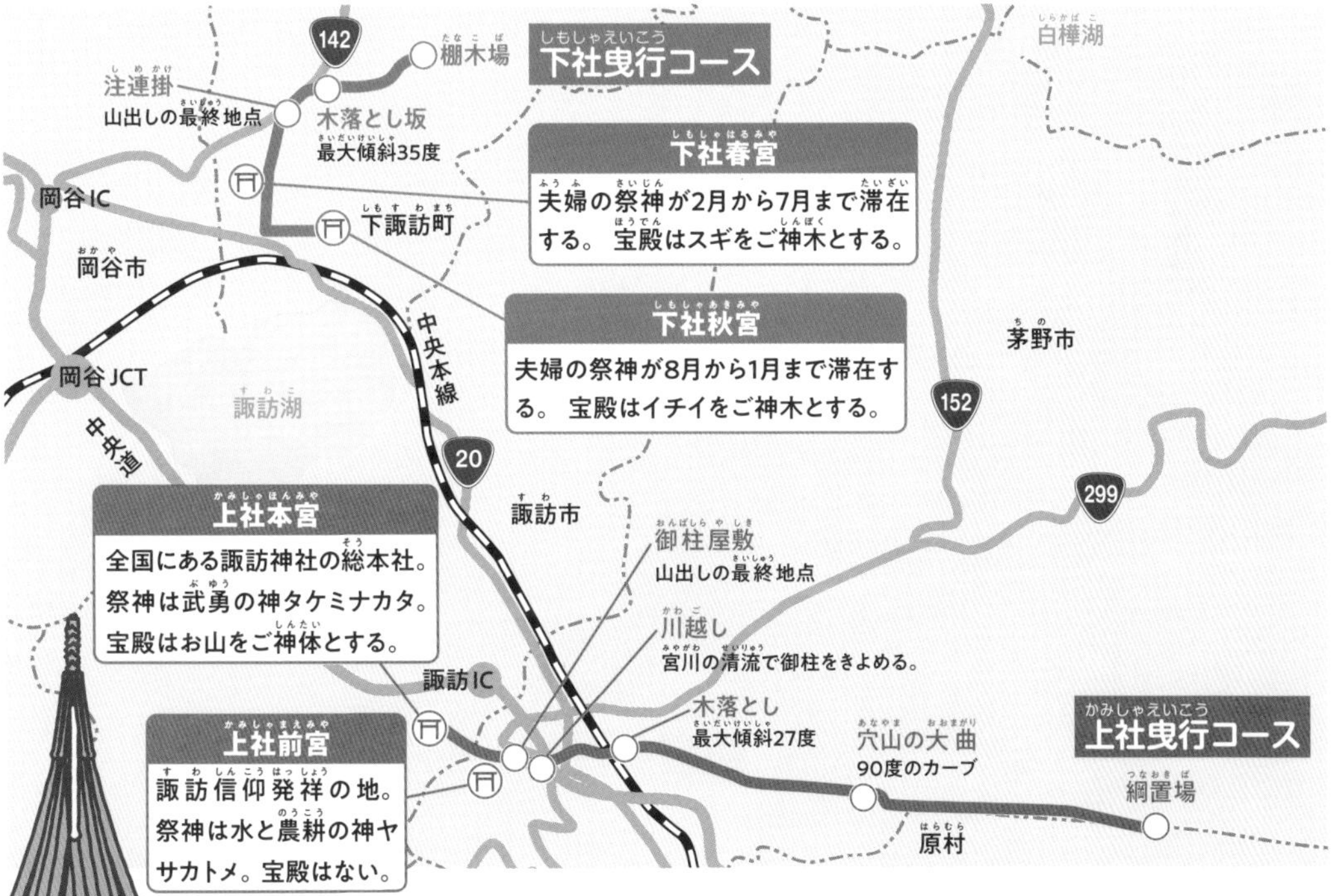

もっと知りたい! 氏子《うじこ》たちの心をひとつにする「木遣《きや》り唄《うた》」

木《き》遣《や》り師《し》が御幣《おんべ》を高くかかげ、高く澄《す》んだ声で歌う「曳行《えいこう》の木遣り」には氏子たちの心をひとつにする役割《やくわり》があり、呼吸《こきゅう》が合わないと御柱《おんばしら》はビクとも動きません。また、曳行開始前に山の神をむかえ、送るために歌われる「神事の木遣り」があり、「綱渡《つなわた》りの唄」ともよばれます。

ひと口メモ
境内《けいだい》の御柱《おんばしら》は次の御柱祭《おんばしらさい》に立てかえられるが、途中《とちゅう》の年に倒《たお》れたら不吉《ふきつ》なことが起こるといわれている。明治《めいじ》時代の1894年に御柱が倒れ、日清戦争《にっしんせんそう》が起こったとつたわる。

上社御柱祭《かみしゃおんばしらさい》の華麗《かれい》な「木落とし」

おもな行事日程《にってい》

4月初旬《しょじゅん》（3日間）	山出し	上社では、初日《しょにち》に「穴山《あなやま》の大曲《おおまがり》」、2日めに「木落とし」、3日めに「川《かわ》越《ご》し」をおこない、御柱《おんばしら》屋敷《やしき》まで運ぶ。
5月初旬《しょじゅん》（3日間）	里曳《さとび》き	むかえのお舟《ふね》（神輿《しんよ》行列《ぎょうれつ》）が出て、3日めに前宮《まえみや》と本宮《ほんみや》にそれぞれ4本の御柱をいっせいに立てる。
6月中旬《ちゅうじゅん》	宝殿遷座祭《ほうでんせんざさい》	正午《しょうご》におこなわれる。

下社御柱祭《しもしゃおんばしらさい》の迫力《はくりょく》ある「木落とし」

おもな行事日程《にってい》

4月中旬《ちゅうじゅん》（3日間）	山出し	下社では、8本の「木落とし」を3日に分けておこない、注連掛《しめかけ》まで運ぶ。
5月中旬	宝殿遷座祭《ほうでんせんざさい》	下社里曳《さとび》きの前、深夜におこなわれる。
5月中旬（3日間）	里曳《さとび》き	ミニ木落としがあり、長持ちや神輿《みこし》、騎馬行列《きばぎょうれつ》も出て、春宮《はるみや》と秋宮《あきみや》に順次《じゅんじ》8本の御柱が立てられる。

長浜曳山《ながはまひきやま》まつり

絢爛豪華《けんらんごうか》な曳山は〝動く美術館《びじゅつかん》〟

無形

ユネスコ

4月9日～17日
滋賀《しが》県長浜《ながはま》市

おとな顔負けの
名演技《めいえんぎ》が見られるよ

**狂言《きょうげん》
（子ども歌舞伎《かぶき》）**

5歳《さい》から12歳の男子によって毎年新しい演目《えんもく》が演じられる。上演《じょうえん》時間はそれぞれ約《やく》40分。

長浜《ながはま》は豊臣秀吉《とよとみひでよし》が初《はじ》めて城持《しろも》ち大名《だいみょう》となった地です。城主《じょうしゅ》だったのはわずか8年でしたが、荒《あ》れはてた長浜八幡宮《はちまんぐう》を再建《さいけん》し、祭礼を復活《ふっかつ》させました。

長浜は、北国街道《ほっこくかいどう》と中山道《なかせんどう》が交わる交通の要衝《ようしょう》であり、江戸《えど》時代には特産《とくさん》の浜《はま》ちりめんと蚊帳《かや》で栄《さか》え、その財力《ざいりょく》を背景《はいけい》に、祭礼で曳《ひ》く曳山《ひきやま》の豪華《ごうか》さを町ごとに競《きそ》ってきました。

長浜の曳山は、太刀《たち》や幟《のぼり》をかざった「長刀山《なぎなたやま》」と、子ども歌舞伎《かぶき》を演《えん》じる舞台《ぶたい》をそなえた12基《き》がつたわっています。現在《げんざい》は長刀山と、4基の曳山（出番山《でばんやま》）が3年ごとに交代で巡行《じゅんこう》します。

お祭りの由来
豊臣秀吉《とよとみひでよし》が長浜城主《ながはまじょうしゅ》時代に初《はじ》めて生まれた男児《だんじ》をよろこんで城下《じょうか》の人々《ひとびと》に砂金《さきん》をふるまった。それを元手に曳山《ひきやま》をつくり、長浜八幡宮《はちまんぐう》の祭礼に曳《ひ》きまわしたのが始まりとされる。

1分でざっくりわかる「長浜曳山《ながはまひきやま》まつり」

長浜では子ども歌舞伎《かぶき》を「狂言《きょうげん》」とよんでいます。4月15日の長浜八幡宮《ながはまはちまんぐう》への狂言奉納《きょうげんほうのう》を中心に13日～16日まで4基《き》の出番山組《でばんやまぐみ》の町内などで子ども歌舞伎が見られます。9日～12日の世話役の裸参《はだかまい》りに始まり、子ども役者の練《ね》り歩き、神輿《みこし》なども出てにぎわいます。

会場 長浜八幡宮《ながはまはちまんぐう》ほか　**問い合わせ** 長浜観光協会《かんこうきょうかい》

鳳凰山《ほうおうざん》

囃子方《はやしかた》がのる亭《ちん》の上に鳳凰の木彫《きぼり》があり、楽屋《がくや》の胴幕《どうまく》はペルシャ製《せい》、舞台《ぶたい》の見送り幕は16世紀《せいき》のベルギー製（国の重要文化財《じゅうようぶんかざい》）。1829年建造《けんぞう》。

長刀山《なぎなたやま》

狂言奉納《きょうげんほうのう》前の儀式《ぎしき》に用いる太刀《たち》と幟《のぼり》でかざられ、大きな3つの車輪《しゃりん》がついている。別名《べつめい》「蓬莱山《ほうらいさん》」。1779年建造。

もっと知りたい! 実物の曳山が見られる「曳山博物館《ひきやまはくぶつかん》」

次年度に出場する曳山4基《き》を2基ずつ入れかえて常設展示《じょうせつてんじ》しています。舞台《ぶたい》をそなえた12基の曳山にはそれぞれ名前がついており、町ごとに錺金具《かざりかなぐ》や彫刻《ちょうこく》、幕《まく》などに趣向《しゅこう》をこらし、芸術《げいじゅつ》の宝庫《ほうこ》といえます。企画展《きかくてん》では曳山を生んだ長浜の歴史《れきし》などを紹介《しょうかい》しています。

ひとロメモ 学校が春休みに入ると、子ども歌舞伎《かぶき》に出演《しゅつえん》する子どもたちは台詞《せりふ》の読み習いから始め、節《ふし》回し、立《たち》稽古《げいこ》、三味線《しゃみせん》や浄瑠璃《じょうるり》とあわせて披露《ひろう》本番まで毎日きびしい稽古をくりかえす。

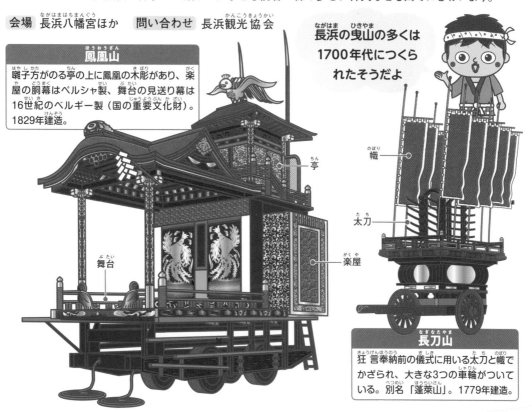

高山祭《たかやままつり》

飛騨匠《ひだのたくみ》の技《わざ》を結集《けっしゅう》した屋台

有形
無形
ユネスコ

4月14日・15日
(山王祭《さんのうさい》)
10月9日・10日
(八幡祭《はちまんさい》)
岐阜《ぎふ》県高山《たかやま》市

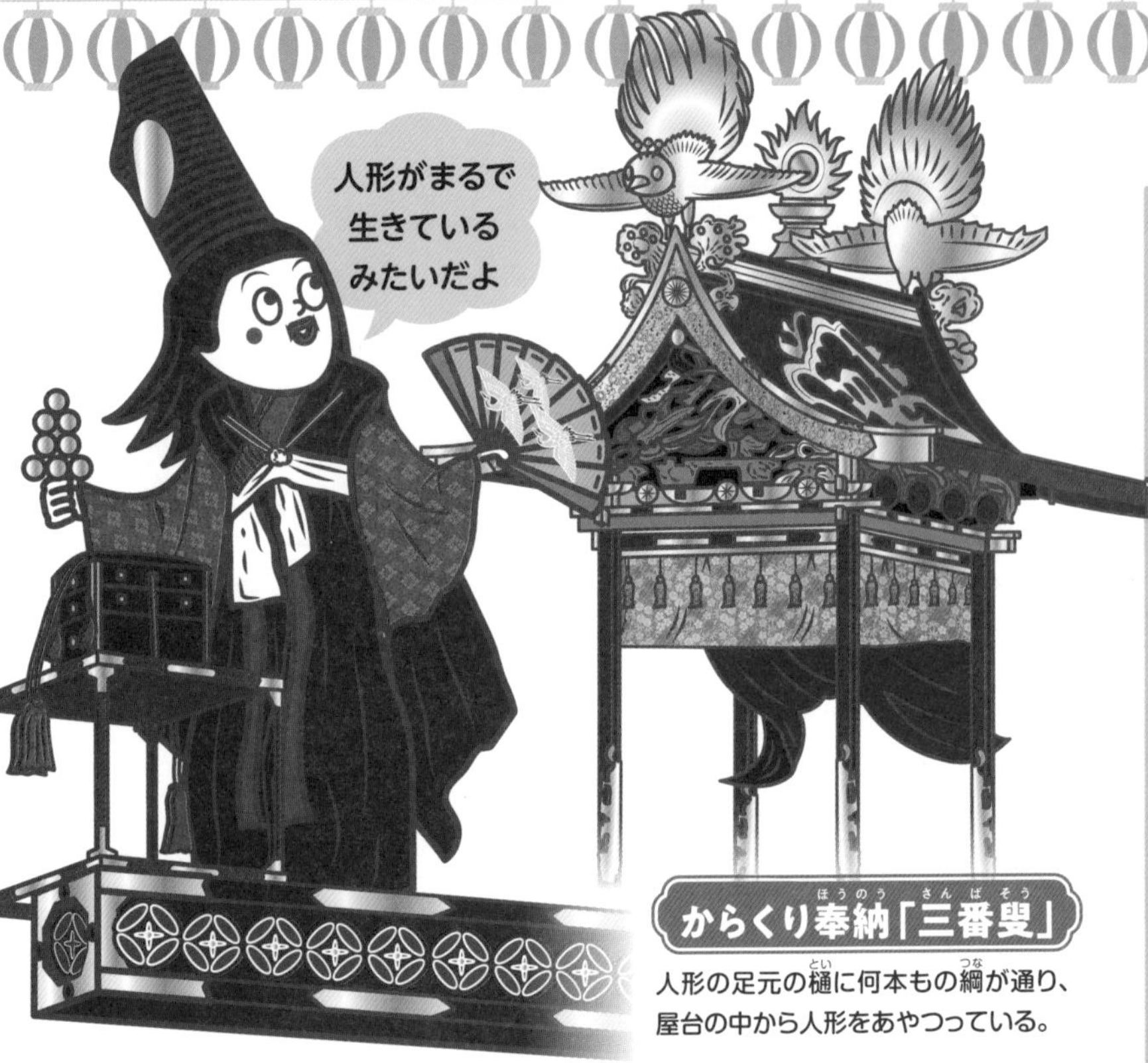

からくり奉納《ほうのう》「三番叟《さんばそう》」

人形の足元の樋《とい》に何本もの綱《つな》が通り、屋台の中から人形をあやつっている。

高山祭《たかやままつり》は、日枝《ひえ》神社の春の例祭《れいさい》「山王《さんのう》祭《さい》」と、櫻山八幡宮《さくらやまはちまんぐう》の秋の例祭「八幡《はちまん》祭《さい》」の総称《そうしょう》です。

春12台・秋11台の屋台のすべてが国の重要有形民俗文化財《じゅうようゆうけいみんぞくぶんかざい》です。その多くは、飛騨高山藩《ひだたかやまはん》から江戸幕府《えどばくふ》の直轄領《ちょっかつりょう》となった1700年代につくられ、京都と江戸の文化が融合《ゆうごう》した高山独自《どくじ》の形になりました。巧《たく》みな仕掛《しか》けの「からくり人形」や、向きを変《か》えるための「戻《もど》し車《ぐるま》」など、彫《ちょう》刻《こく》・構造《こうぞう》の細部にまで飛騨匠《ひだのたくみ》の技《わざ》が生かされています。

夜になると、屋台にたくさんの提灯《ちょうちん》がともされ、いっそうきらびやかです。

お祭りの由来

1585年に豊臣秀吉《とよとみひでよし》の命《めい》で飛騨国《ひだのくに》を平定した金森長近《かなもりながちか》が高山城《たかやまじょう》を築《きず》き、京都にならって城下町《じょうかまち》の整備《せいび》を始めた。高山祭《たかやままつり》の原型《げんけい》は江戸《えど》時代初期《しょき》、金森家が高山藩主《はんしゅ》だった107年間にできた。

1分でざっくりわかる「高山祭《たかやままつり》」

春は「三番叟《さんばそう》」「龍神台《りゅうじんたい》」「石橋台《しゃっきょうたい》」の3台、秋は「布袋台《ほていたい》」の1台により、からくり奉納《ほうのう》がおこなわれます。春・秋ともに総勢《そうぜい》数百名が練《ね》り歩く祭行列の「カンカコカン」と鉦《かね》を打ち鳴らす闘鶏楽《とうけいらく》、獅子舞《ししまい》、一文字笠《いちもんじがさ》に裃《かみしも》姿《すがた》の神輿《みこし》の警固《けいご》なども見のがせません。

会場 日枝神社《ひえじんじゃ》(山王祭《さんのうさい》)、櫻山八幡宮《さくらやまはちまんぐう》(八幡祭《はちまんさい》)ほか　**問い合わせ** 高山市観光課《かんこうか》

おもな行事日程《にってい》

春の高山祭(山王祭《さんのうさい》)

4月14日
- 9:30〜16:00 屋台曳《ひ》き揃《そろ》え
- 11:00〜11:50 からくり奉納《ほうのう》
- 13:00〜16:00 御巡幸《ごじゅんこう》(祭行列)
- 15:00〜15:50 からくり奉納《ほうのう》
- 18:30〜21:00 夜祭《よまつり》

4月15日
- 9:30〜16:00 屋台曳《ひ》き揃《そろ》え
- 10:00〜10:50 からくり奉納《ほうのう》
- 12:30〜16:00 御巡幸《ごじゅんこう》(祭行列)
- 14:00〜14:50 からくり奉納《ほうのう》

秋の高山祭(八幡祭《はちまんさい》)

10月9日
- 9:00〜17:00 屋台曳《ひ》き揃《そろ》え
- 12:00〜12:20 からくり奉納《ほうのう》
- 13:20〜15:30 御神幸《ごしんこう》(祭行列)
- 13:30〜16:00 屋台曳《ひ》き廻《まわ》し
- 14:00〜14:20 からくり奉納《ほうのう》
- 18:15〜20:30 宵祭《よいまつり》

10月10日
- 8:30〜12:00 御神幸《ごしんこう》(祭行列)
- 9:00〜16:00 屋台曳《ひ》き揃《そろ》え
- 11:00〜11:20 からくり奉納《ほうのう》
- 13:00〜13:20 からくり奉納《ほうのう》
- 13:30〜16:00 御神幸《ごしんこう》(祭行列)

お花見もできるね♪

春の高山祭(屋台曳《ひ》き揃《そろ》え)

「神楽台《かぐらたい》」(右)を先頭に中橋《なかばし》をわたる「三番叟《さんばそう》」「龍神台《りゅうじんたい》」「石橋台《しゃっきょうたい》」。

ひと口メモ 屋台を火災《かさい》から守り、分解《ぶんかい》せずにそのまま保管《ほかん》できるようにつくられた屋台蔵《やたいぐら》は、白壁《しらかべ》の厚《あつ》みが30cmもあり、「飛騨《ひだ》の小京都」とよばれる高山の古い町並《まちな》みも守っている。

高岡《たかおか》御車山《みくるまやま》祭《まつり》

はなやかな山車《やま》が街《まち》をめぐる

有形

無形

ユネスコ

5月1日
富山《とやま》県高岡《たかおか》市

高岡《たかおか》市は、初代《しょだい》加賀《かが》藩主《はんしゅ》の前田利長《まえだとしなが》が築《きず》いた高岡城《たかおかじょう》の城下町《じょうかまち》です。利長の死後廃城《はいじょう》となって商工業の町に転換《てんかん》し、仏像《ぶつぞう》やお寺の鐘《かね》、神仏具《しんぶつぐ》などの「高岡銅器《どうき》」「高岡漆器《しっき》」が全国に知られています。それにともない、錺《かざり》金具、彫金《ちょうきん》、漆工芸《うるしこうげい》などの伝統《でんとう》工芸技術《ぎじゅつ》が発展《はってん》しました。

高岡御《み》車山祭《くるまやままつり》の主役である7基《き》の山車《やま》は、国の重要有形民俗文化財《じゅうようゆうけいみんぞくぶんかざい》です。当初《とうしょ》、利長が領《りょう》民《みん》に分けあたえた御所車《ごしょぐるま》は素朴《そぼく》なものでしたが、各山町《かくやまちょう》が伝統工芸技術を競《きそ》いあって絢爛豪華《けんらんごうか》な装飾《そうしょく》をほどこし、江戸《えど》時代の名工たちによって7基《き》がそろいました。

二番町《にばんまち》の御車山《みくるまやま》
千枚分銅《せんまいふんどう》は秀吉《ひでよし》の財力《ざいりょく》の象徴《しょうちょう》。鉾留《ほこどめ》の桐《きり》、鳥居《とりい》の神額《しんがく》「宝庫《ほうこ》＝豊公《ほうこう》」も秀吉を意味する。

お祭りの由来
藩祖《はんそ》の前田利家《まえだとしいえ》が豊臣秀吉《とよとみひでよし》から後陽成天皇《ごようぜいてんのう》らを聚楽第《じゅらくだい》にむかえるときに使用した御所車《ごしょぐるま》を拝領《はいりょう》し、長男の利長《としなが》が高岡城《たかおかじょう》下の領民《りょうみん》にあたえた。それを高岡関野《せきの》神社の例祭《れいさい》に曳《ひ》いたのが始まり。

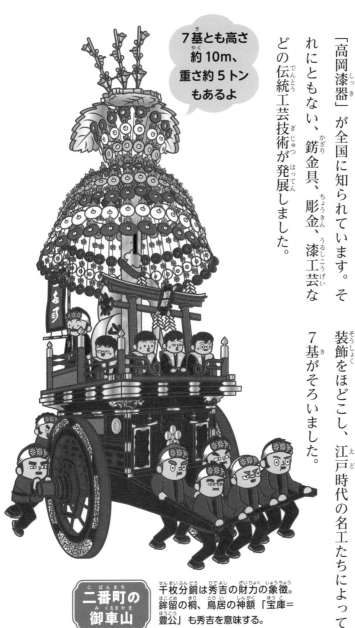

1分でざっくりわかる「高岡御車山祭《たかおかみくるまやままつり》」

御《み》車山《くるまやま》7基《き》にはそれぞれ神が宿り、まず坂下町《さかしたまち》が露払《つゆはら》いとして神々《かみがみ》が通る道をきよめます。

そして通町《とおりまち》の山車《やま》を先頭に、前田利長《まえだとしなが》をまつる高岡関野《せきの》神社まで旧城下町《きゅうじょうかまち》を練《ね》り歩きます。

ほかは四輪《よんりん》ですが二番町《にばんまち》の山車だけは二輪《にりん》で、安土桃山《あづちももやま》時代の御所車《ごしょぐるま》の面影《おもかげ》をのこす傑作《けっさく》です。

会場 高岡《たかおか》市中心街《ちゅうしんがい》　**問い合わせ** 高岡市観光交流課《かんこうこうりゅうか》

おもな行事日程《にってい》

前夜
宵祭《よいまつり》 18:30〜21:00
●御車山《みくるまやま》の装飾《そうしょく》を間近で見られ、お囃子《はやし》の披露《ひろう》、ライトアップもある。

5月1日
奉曳《ぶえい》（巡行《じゅんこう》） 11:00〜18:00
11:00 **曳《ひ》き揃《そろ》い・曳き出し** 坂下町《さかしたまち》
12:00 **勢揃式《せいぞろいしき》** 片原町交差点《かたはらまちこうさてん》
18:00 **曳《ひ》き納《おさ》め** 高岡関野《せきの》神社

御車山《みくるまやま》7基《き》の巡行順《じゅんこうじゅん》

山町	本座《ほんざ》（ご神体《しんたい》）
通町《とおりまち》	布袋和尚《ほていおしょう》
御馬出町《おんまだしまち》	佐野源左衛門《さのげんざえもん》
守山町《もりやままち》	恵比寿《えびす》
木舟町《きふねまち》	大黒天《だいこくてん》
小馬出町《こんまだしまち》	猩々《しょうじょう》
一番街通《いちばんまちどおり》（一番町《いちばんまち》・三番町《さんばんまち》・源平町《げんぺいまち》）	尉《じょう》と姥《うば》
二番町《にばんまち》	千枚分銅《せんまいふんどう》

ひとロメモ 高岡御車山祭《たかおかみくるまやままつり》は、文化庁《ぶんかちょう》が認定《にんてい》する日本遺産《いさん》『加賀《かが》前田家ゆかりの町民《ちょうみん》文化が花咲《さ》くまち高岡―人、技《わざ》、心―』のひとつ。高岡御車山会館では御車山を常設展示《じょうせつてんじ》し、映像《えいぞう》でお祭りを追体験《ついたいけん》できる。

藤原《ふじわら》まつり

奥州藤原氏《おうしゅうふじわらし》の栄華《えいが》をつたえる歴史絵巻《れきしえまき》

義経公《よしつねこう》ねぎらいの場面

三代秀衡《ひでひら》は毛越寺《もうつうじ》の大泉《おおいずみ》が池《いけ》に舟《ふね》をうかべて義経らをもてなした。

5月1日～5日
11月1日～3日
岩手《いわて》県平泉町《ひらいずみちょう》

藤原《ふじわら》まつりは毎年春と秋に開催《かいさい》され、とくに春のお祭りがはなやかです。

その最大《さいだい》の見どころは、5月3日の「源《みなもとの》義経公《よしつねこう》東下《あずまくだ》り行列」。兄頼朝《よりとも》に追われ、平泉《ひらいずみ》へ落ちのびてきた義経らを三代秀衡《ひでひら》があたたかくむかえた様子を再現《さいげん》したものです。秀衡らの行列が中尊寺《ちゅうそんじ》を出発し、毛越寺《もうつうじ》で義経らと対面、ねぎらったのち一同で中尊寺へ向かいます。

平安《へいあん》時代の装束《しょうぞく》で馬や牛車《ぎっしゃ》に乗り、山《やま》伏姿《ぶしすがた》の弁慶《べんけい》ら武者《むしゃ》や侍女《じじょ》たちをしたがえた大行列は平安絵巻《えまき》そのものです。

また「延年《えんねん》の舞《まい》」は、毛越寺開山《かいさん》以来《いらい》つたわる国の重要《じゅうよう》無形《むけい》民俗《みんぞく》文化財《ぶんかざい》です。

お祭りの由来

平安《へいあん》時代末期《まっき》、平泉《ひらいずみ》に仏教《ぶっきょう》文化を花開かせ、“みちのくの京”として栄《さか》えた奥州藤原氏《おうしゅうふじわらし》の栄華《えいが》をしのび、中尊寺《ちゅうそんじ》・毛越寺開山《もうつうじかいさん》1100年を記念《きねん》して1950年に始まった。

1分でざっくりわかる「藤原《ふじわら》まつり」

春と秋、中尊寺《ちゅうそんじ》と毛越寺《もうつうじ》で奥州藤原氏《おうしゅうふじわらし》四代の追善《ついぜん》・報恩法要《ほうおんほうよう》がつとめられ、稚児行列《ちごぎょうれつ》や能《のう》、「延年《えんねん》の舞《まい》」が披露《ひろう》されます。「源義経公東下《みなもとのよしつねこうあずまくだ》り行列」「弁慶力餅競技《べんけいちからもちきょうぎ》大会」は春のみの行事です。平泉町《ひらいずみちょう》あげてのお祭りで、鹿踊《ししおど》りや神楽《かぐら》など郷土芸能《きょうどげいのう》も見られます。

会場 中尊寺《ちゅうそんじ》、毛越寺《もうつうじ》ほか　**問い合わせ** 平泉観光協会《ひらいずみかんこうきょうかい》

おもな行事日程《にってい》

春の藤原まつり

5月1日

10:00 **中尊寺藤原《ちゅうそんじふじわら》四代公追善法要《ついぜんほうよう》・稚児行列《ちごぎょうれつ》**
中尊寺本堂⇒金色堂《こんじきどう》

10:00 **毛越寺開山大師《もうつうじかいさんだいし》・藤原四衡公報恩《しこうこうほうおん》法要**
毛越寺本堂

10:00 **弁慶力餅《べんけいちからもち》つき** 平泉《ひらいずみ》駅前広場

5月2日

11:00 **中尊寺開山護摩供《かいさんごまく》法要** 中尊寺開山堂《かいさんどう》

11:00 **源　義経公《みなもとのよしつねこう》追善法要** 高館義経堂《たかだちぎけいどう》

5月3日

10:00～16:00
源義経公東下《あずまくだ》り行列 中尊寺坂下⇒毛越寺⇒中尊寺金色堂

5月4日

10:00 **白山《はくさん》神社祭礼** 中尊寺

12:00 **神事能《しんじのう》** 中尊寺白山神社能楽舞台《のうがくぶたい》

13:00 **哭《なき》まつり** 観自在王院跡《かんじざいおういんあと》

●二代基衡《もとひら》の妻《つま》（観自在王院建立者《こんりゅうしゃ》）をしのぶ法要。

5月5日

10:00 **弁慶力餅競技《べんけいちからもちきょうぎ》大会** 平泉駅前広場

● 160kg の鏡餅《かがみもち》をかついで歩ける距離《きょり》を競《きそ》う。

11:00 **延年《えんねん》の舞《まい》** 毛越寺

12:00 **神事能** 中尊寺白山神社能舞台

源義経公東下《みなもとのよしつねこうあずまくだ》り行列《ぎょうれつ》

ひと口メモ 850年に慈覚大師円仁《じかくだいしえんにん》が中尊寺《ちゅうそんじ》と毛越寺《もうつうじ》を開き、奥州藤原氏初代清衡《おうしゅうふじわらししょだいきよひら》が1124年に中尊寺金色堂《こんじきどう》を建立《こんりゅう》、二代基衡《もとひら》が毛越寺を整備《せいび》、三代秀衡《ひでひら》が無量光院《むりょうこういん》を建立した。1189年に四代泰衡《やすひら》で滅亡《めつぼう》。

しものせき海峡《かいきょう》まつり

関門海峡《かんもんかいきょう》を舞台《ぶたい》とする歴史悲話《れきしひわ》をつたえる

5月2日～4日
山口県《やまぐち》下関市《しものせき》

先帝祭《せんていさい》「上臈道中《じょうろうどうちゅう》・参拝《さんぱい》」

生きのこった平家《へいけ》の女官《にょかん》たちが命日に御《ご》陵《りょう》へ参拝をつづけたことに由来する。

「しものせき海峡《かいきょう》まつり」は、1986年に始まった下関《しものせき》あげてのお祭りです。関門海峡《かんもんかいきょう》の「壇ノ浦《だんのうら》」は平安《へいあん》時代末期《まっき》の1185年、源平最後《げんぺいさいご》の合戦《かっせん》の舞台《ぶたい》となったところ。平清盛《たいらのきよもり》の孫《まご》で、幼《おさな》くして入水《じゅすい》した安徳天皇《あんとくてんのう》をしのぶ「先帝祭《せんていさい》」がお祭りの中心です。

「八丁浜総踊《はっちょうはまそうおど》り」は、江戸《えど》時代初期《しょき》に埋立《うめた》てのため人柱《ひとばしら》となったお亀《かめ》さんの功《こう》績《せき》をたたえて約《やく》1000人がしゃもじを打ち鳴らして踊《おど》ります。また、宮本武蔵《みやもとむさし》と佐々木小次郎《ささきこじろう》が決闘《けっとう》した「巌流島《がんりゅうじま》」は、唐戸桟橋《からとさんばし》から定期連絡船《れんらくせん》で約《やく》10分。憩《いこ》いの公園として整備《せいび》されています。

お祭りの由来

「先帝祭《せんていさい》」は、阿弥陀寺《あみだじ》（現在《げんざい》の赤間神宮《あかまじんぐう》）に葬《ほうむ》られた安徳天皇《あんとくてんのう》の霊《れい》をなぐさめるため、1191年の命日（旧暦《きゅうれき》3月24日）に後鳥羽《ごとば》天皇が先帝会《せんていえ》（法要《ほうよう》）を営《いとな》んだことに始まる。

1分でざっくりわかる「しものせき海峡《かいきょう》まつり」

先帝祭《せんていさい》の「上臈道中《じょうろうどうちゅう》・参拝《さんぱい》」、源平《げんぺい》まつりの「源平武者行列《むしゃぎょうれつ》・船合戦《ふながっせん》」はもちろん、
平安絵巻《へいあんえまき》さながらの「安徳帝正装参拝《あんとくていせいそうさんぱい》」「御神幸祭《ごじんこうさい》」も見のがせません。
「八丁浜総踊《はっちょうはまそうおど》り」は飛《と》び入《い》り歓迎《かんげい》、ステージイベントも盛《も》りだくさんです。

会場 赤間神宮《あかまじんぐう》ほか関門海峡《かんもんかいきょう》ぞい　**問い合わせ** 下関《しものせき》まつり合同会議事務局《ごうどうかいぎじむきょく》（下関市観光政策課《かんこうせいさくか》内）

おもな行事日程《にってい》

5月2日
御陵前祭《ごりょうまえさい》、平家《へいけ》一門追悼祭《ついとうさい》、安徳帝正装参拝《あんとくていせいそうさんぱい》 赤間神宮

5月3日

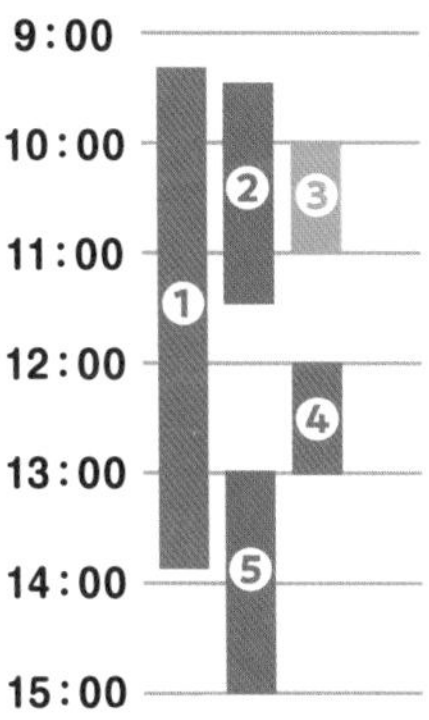

❶ 源平《げんぺい》まつり「源平武者行列《むしゃぎょうれつ》」
9：20～14：00 下関駅周辺《しものせきえきしゅうへん》⇒唐戸商店街《からとしょうてんがい》

❷ 先帝祭《せんていさい》「上臈道中《じょうろうどうちゅう》」9：30～11：30
西部公民館《せいぶこうみんかん》前（伊崎町《いざきちょう》）⇒唐戸商店街

❸ 八丁浜総踊《はっちょうはまそうおど》り 10：00～11：00
カモンワーフ前ボードウォーク

❹ 源平まつり「源平船合戦《ふながっせん》」
12：00～13：00 海上パレード

❺ 先帝祭「上臈参拝《さんぱい》」
13：00～15：00 赤間神宮

5月4日
先帝祭「御神幸祭《ごじんこうさい》」
赤間神宮⇒お旅所《たびしょ》（伊崎町）⇒赤間神宮

巌流島《がんりゅうじま》フェスティバル
巌流島多目的《たもくてき》広場

もっと知りたい！ 竜宮城《りゅうぐうじょう》のような「赤間神宮《あかまじんぐう》」

祭神《さいじん》は安徳天皇《あんとくてんのう》。平家《へいけ》一門の墓所《ぼしょ》、安徳天皇御陵《ごりょう》があります。壇ノ浦《だんのうら》をのぞむ竜宮造《りゅうぐうづくり》の水《すい》天門《てんもん》は、「海の中にも都はございます」と祖母二位尼《そぼにいのあま》が幼《おさな》い天皇を抱《だ》いて入水《じゅすい》、助けられ都にもどされた母建礼門院《けんれいもんいん》も夢《ゆめ》に竜宮城を見たという『平家物語《へいけものがたり》』にもとづいています。先帝《せんてい》祭《さい》では朱塗《しゅぬ》りの天橋《てんきょう》がかけられ、拝殿《はいでん》へわたる行列は平安絵巻《へいあんえまき》そのものです。

ひと口メモ
5月3日、「姉妹都市ひろば」のステージでは平家太鼓《へいけだいこ》、源氏《げんじ》・平家の勝鬨《かちどき》、高下駄《たかげた》で歩く上臈《じょうろう》の“外《そと》八文字《はちもんじ》”などが披露《ひろう》され、下関《しものせき》名物「ふく鍋《なべ》」「ふく唐揚《からあ》げ」ほか、グルメ屋台も出る。

博多《はかた》どんたく港《みなと》まつり

総動員数《そうどういんすう》２００万人をこえる、みんなのお祭り

5月3日・4日
福岡《ふくおか》県福岡市

「祝《いお》ぉーたぁ！」のかけ声で
お祝いしてまわるよ

博多松囃子《はかたまつばやし》 福神《ふくじん》（福禄寿《ふくろくじゅ》）・夫婦恵比寿《めおとえびす》・大黒天《だいこくてん》が馬に乗り、稚児《ちご》行列《ぎょうれつ》がつづく。

福岡市民《ふくおかしみん》の祭り「博多《はかた》どんたく港まつり」となったのは１９６２年です。毎年、ゴールデンウィーク中の２日間、町内会や職場《しょくば》、学校などのグループが思い思いの衣装《いしょう》で、しゃもじをたたいて練《ね》り歩き、「どんたく」一色にそまります。

どんたくパレードの幕開《まくあ》けをかざる「博多松囃子《まつばやし》」は、黒田藩《はん》の城下町《じょうかまち》「福岡」と商人の町「博多」の交流行事として８４０年をこえる歴史《れきし》があります。

街《まち》のあちこちにステージが設《もう》けられ、各地《かくち》から集まった、のべ約《やく》６５０団体《だんたい》の「どんたく隊《たい》」が個性《こせい》あふれる芸《げい》や踊《おど》りを披露《ひろう》します。

お祭りの由来 室町《むろまち》時代に始まった小正月《こしょうがつ》の祝福芸《しゅくふくげい》「博多松囃子《はかたまつばやし》」が起源《きげん》。明治新政府《めいじしんせいふ》に浪費《ろうひ》を理由に禁止《きんし》されたが、オランダ語の「日曜日」を意味する「どんたく」とよんで、お祭りを復活《ふっかつ》させた。

1分でざっくりわかる「博多《はかた》どんたく港《みなと》まつり」

いちばんにぎわうのは「どんたく広場パレード」です。マーチングバンドも出て、タレ目の「にわか面《めん》」をつけたり、しゃもじをたたいて踊《おど》る“通りもん”であふれます。飛《と》び入《い》り参加《さんか》できる「総《そう》おどり」のあとは、『祝《いわ》いめでた』を歌い、博多手一本《はかたていっぽん》で締《し》めます。

会場 福岡《ふくおか》市博多《はかた》区から中央区 周辺《しゅうへん》　**問い合わせ** 福岡市民《しみん》の祭り振興会《しんこうかい》（福岡 商工会議所《しょうこうかいぎしょ》内）

おもな行事日程《にってい》

前夜
17:00～20:30 **前夜祭** お祭り本舞台《ほんぶたい》（市役所ふれあい広場）

5月3日
9:00～17:00 **博多松囃子《はかたまつばやし》** 櫛田《くしだ》神社⇒博多区周辺
10:00～11:30 **“どんたく”ストリート** はかた駅前通り
13:00～19:00 **どんたく広場パレード** 明治通り（呉服町《ごふくまち》駅⇒天神《てんじん》駅）

5月4日
9:00～17:00 **博多松囃子** 櫛田神社⇒中央区周辺
10:00～13:00 **“どんたく”ストリート** はかた駅前通り
14:00～19:00 **どんたく広場パレード** 明治通り（呉服町駅⇒天神駅）
17:50～18:20 **総《そう》おどり** どんたく広場、お祭り本舞台ほか

しゃもじをたたいて、
いっしょに踊《おど》ろう

楽しいよ!

もっと知りたい! 郷土芸能《きょうどげいのう》「博多仁和加《はかたにわか》」

「ぼてかずら」というカツラに「にわか面《めん》」といわれる半面を着け、博多弁《はかたべん》を使い、「浴衣《ゆかた》の生地《きじ》なら、木綿《もめん》（揉《も》めん）がよか」などといった、ユーモラスなオチをつけて話をまとめる即興笑劇《そっきょうしょうげき》（にわか狂言《きょうげん》）です。由来は諸説《しょせつ》ありますが、殿様《とのさま》や奥方《おくがた》の前で披露《ひろう》した博多松《まつ》囃子《ばやし》での冗談《じょうだん》が始まりともいわれます。

ひと口メモ 夕食を支度《したく》中の商家の女将《おかみ》さんが博多松囃子《はかたまつばやし》の音色《ねいろ》にさそわれてうかれだし、手に持つしゃもじをたたいて行列にくわわったことから、素人芸《しろうとげい》を披露《ひろう》する「どんたく隊《たい》」を“通りもん”とよぶ。

葵祭《あおいまつり》

『源氏物語《げんじものがたり》』にも登場する格式《かくしき》高いお祭り

5月15日
京都府《きょうとふ》京都市

勅使《ちょくし》の牛車《ぎっしゃ》
藤《ふじ》の花でかざられ、牛の引《ひ》き綱《づな》を持つ牛飼童《うしかいわらわ》・車副《くるまぞい》などをしたがえて本列の中心を進む。

葵祭《あおいまつり》は「賀茂社《かもしゃ》」と総称《そうしょう》される下鴨神社《しもがもじんじゃ》（賀茂御祖神社《かもみおやじんじゃ》）と上賀茂神社《かみがもじんじゃ》（賀茂別雷《かもわけいかづち》神社）の神事で、正式名称《せいしきめいしょう》は「賀茂祭《かもさい》」といいます。

5月15日の早朝、京都御所《きょうとごしょ》にて勅使《ちょくし》（天皇《てんのう》の使い）が御祭文《ごさいもん》・御幣物《ごへいもつ》を拝受《はいじゅ》する「宮中《きゅうちゅう》の儀《ぎ》」がおこなわれ、御所から下鴨神社をへて上賀茂神社へ向かう行列を「路頭《ろとう》の儀」といいます。両社でそれぞれ、勅使が御祭文を奏上《そうじょう》する「社頭《しゃとう》の儀」、東遊《あずまあそび》の舞《まい》や御馬《おうま》の牽《ひ》き廻《まわ》しなどがおこなわれます。

現在《げんざい》は「路頭の儀」が葵祭の中心をなし、平安王朝《へいあんおうちょう》さながらの行列が見もの。

お祭りの由来　6世紀《せいき》の欽明《きんめい》天皇の時代に凶作《きょうさく》が重なり、賀茂大神《かものおおかみ》の祟《たた》りとして神話にならい、葵《あおい》の葉をかざり、馬に鈴《すず》をかけ、人は猪頭《ししがしら》をかぶって駆競《かけくらべ》をして五穀豊穣《ごこくほうじょう》を祈願《きがん》したのが起源《きげん》とされる。

◎タイトル：

◎書店名（ネット書店名）：

◎本書へのご意見・ご感想をお聞かせください。

ご協力ありがとうございました。

郵 便 は が き

（切手をお貼り下さい）

170-0013

（受取人）

東京都豊島区東池袋3-9-7
東池袋織本ビル4F
㈱すばる舎 行

この度は、本書をお買い上げいただきまして誠にありがとうございました。お手数ですが、今後の出版の参考のために各項目にご記入のうえ、弊社までご返送ください。

お名前	男・女	才
ご住所		
ご職業	E-mail	
今後、新刊に関する情報、新企画へのアンケート、セミナー等のご案内を郵送またはＥメールでお送りさせていただいてもよろしいでしょうか？ □はい　□いいえ		

ご返送いただいた方の中から抽選で毎月３名様に
3,000円分の図書カードをプレゼントさせていただきます。

当選の発表はプレゼントの発送をもって代えさせていただきます。
※ご記入いただいた個人情報はプレゼントの発送以外に利用することはありません。
※本書へのご意見・ご感想に関しては、匿名にて広告等の文面に掲載させていただくことがございます。

1分でざっくりわかる「葵祭《あおいまつり》」

葵祭の行列（路頭《ろとう》の儀《ぎ》）は、勅使《ちょくし》を中心とする「本列」と、斎王代《さいおうだい》を中心とする「女人列《にょにんれつ》」からなります。葵の葉をかざり、平安貴族《へいあんきぞく》さながらの装束《しょうぞく》をまとった総勢《そうぜい》500余名《よめい》が新緑のなか、全長約《やく》8kmの都大路《みやこおおじ》をゆっくりと進みます。

会場 京都御所《きょうとごしょ》から下鴨《しもがも》神社をへて上賀茂《かみがも》神社まで　**問い合わせ** 京都市観光協会《かんこうきょうかい》

行列の巡行路《じゅんこうろ》

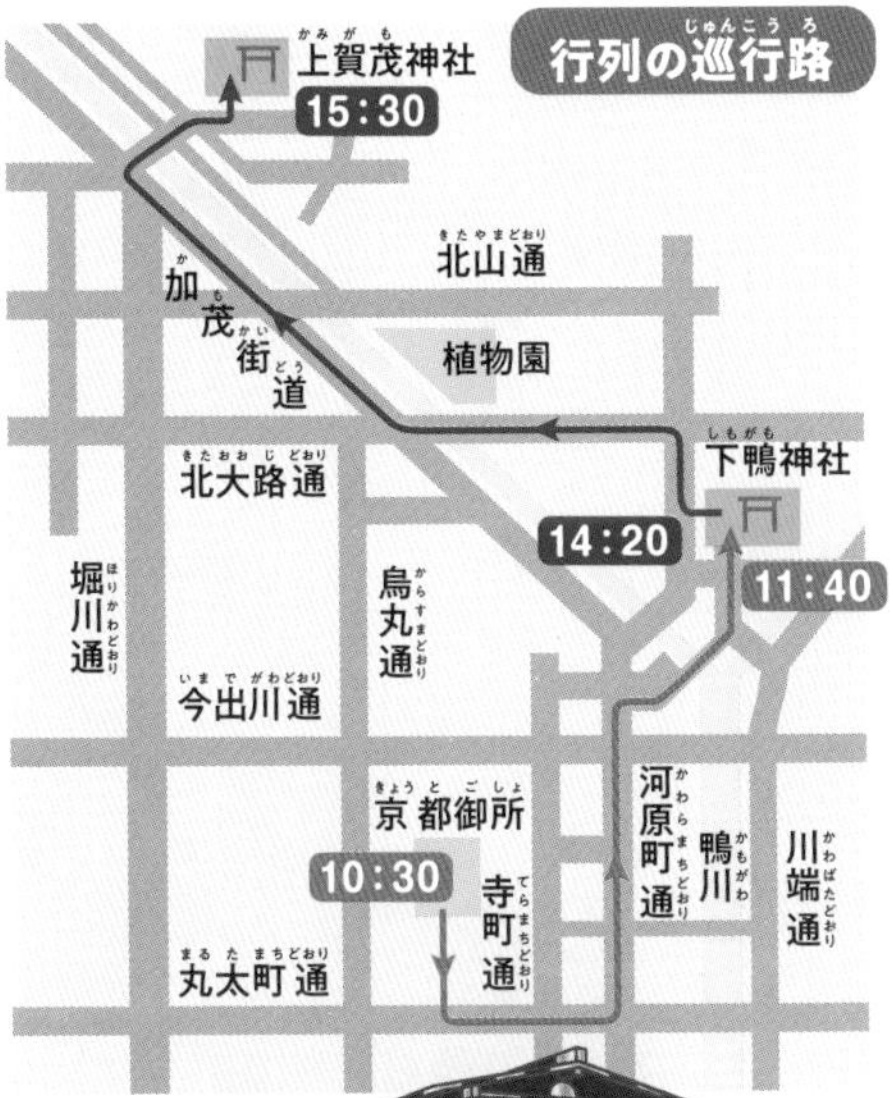

行列のおもな構成《こうせい》

本列

- **乗尻《のりじり》** 行列を先導《せんどう》する騎馬隊《きばたい》
- **検非違使《けびいし》** 平安京警護《へいあんきょうけいご》の役人
- **山城使《やましろつかい》** 賀茂社《かもしゃ》があった山城国《やましろのくに》の役人
- **御幣櫃《ごへいびつ》** 神前にそなえる御幣物《ごへいもつ》をおさめた箱
- **勅使《ちょくし》の牛車《ぎっしゃ》** 藤《ふじ》の花でかざられた御所車《ごしょぐるま》
- **御馬《おうま》** 神前で牽《ひ》き廻《まわ》すための馬２頭
- **舞人《まいびと》** 神前で東遊《あずまあそび》の舞《まい》を披露《ひろう》する武官《ぶかん》
- **陪従《べいじゅう》** 神前で歌い、楽器を演奏《えんそう》する武官
- **内蔵使《くらづかい》** 天皇《てんのう》の言葉を記した御祭文《ごさいもん》を持つ役人
- **勅使《ちょくし》** 近衛中将《このえのちゅうじょう》に代わり、現在《げんざい》は近衛使代《このえつかいだい》がつとめる
- **牽馬《ひきうま》** 勅使の帰路のための替《か》え馬《うま》
- **風流傘《ふりゅうがさ》** 本列の最後《さいご》を行く、造花《ぞうか》でかざった大傘《おおがさ》

女《にょ》人《にん》列《れつ》

- **命婦《みょうぶ》** 宮中《きゅうちゅう》に仕える高級女官《にょかん》
- **女孺《にょじゅ》** 食事を受けもつ女官
- **童女《わらわめ》** 行儀《ぎょうぎ》見習いの少女
- **斎王代《さいおうだい》** 内親王《ないしんのう》（天皇の娘《むすめ》）がつとめていた斎王に代わり、現在は京都在住《ざいじゅう》の未《み》婚女性《こんじょせい》から選《えら》ばれる
- **駒女《むなのりおんな》** 斎王つきの巫女《みこ》。馬に乗っている
- **蔵人所陪従《くろうどどころべいじゅう》** 雅楽《ががく》を演奏する文官《ぶんかん》
- **斎王《さいおう》の牛車《ぎっしゃ》** 桜《さくら》と橘《たちばな》でかざられた女房車《にょうぼうぐるま》

ひと口メモ

平安《へいあん》時代に朝廷《ちょうてい》行事となり、応仁《おうにん》の乱《らん》で中断《ちゅうだん》したが江戸《えど》時代の1694年に再興《さいこう》され、すべてを葵《あおい》の葉でかざったことから「葵祭《あおいまつり》」とよばれるようになった。葵は賀茂社《かもしゃ》の御神紋《ごしんもん》であり、神と人を結《むす》ぶ草。

日光東照宮《にっこうとうしょうぐう》春季例大祭《しゅんきれいたいさい》

勇壮《ゆうそう》で華麗《かれい》な「百物揃千人武者行列《ひゃくものぞろいせんにんむしゃぎょうれつ》」が見もの！

5月17日・18日
栃木《とちぎ》県日光《にっこう》市

日光東照宮《にっこうとうしょうぐう》は、江戸幕府《えどばくふ》の初代将軍《しょだいしょうぐん》徳川家康《とくがわいえやす》を祭神《さいじん》「東照大権現《とうしょうだいごんげん》」としてまつる神社。世界遺産《いさん》「日光の社寺」のひとつとして有名です。

家康は、自らを久能山《くのうざん》（静岡《しずおか》市）に埋《まい》葬《そう》後、日光山《にっこうさん》に神社を造営《ぞうえい》し、神としてまつるように遺言《ゆいごん》しました。「百物揃千《ひゃくものぞろいせん》人武者行列《にんむしゃぎょうれつ》」とよばれる神輿渡御祭《しんよとぎょさい》は、家康の柩《ひつぎ》を久能山から日光東照宮へうつしたときの行列を再現《さいげん》したものとつたえられます。

神事流鏑馬《しんじやぶさめ》と神輿渡御祭は、10月16日・17日の秋季大祭《しゅうきたいさい》でもおこなわれますが規《き》模《ぼ》は小さくなります。

神事流鏑馬《しんじやぶさめ》

馬場にならんだ3つの的《まと》を「陰陽射《いんようい》」というかけ声《ごえ》とともに射抜《いぬ》く。

お祭りの由来　1616年に没《ぼっ》した家康《いえやす》の遺言《ゆいごん》にしたがい、二代将軍秀忠《しょうぐんひでただ》が翌年《よくねん》に日光東照宮《にっこうとうしょうぐう》を創建《そうけん》し、命日（旧暦《きゅうれき》4月17日）に祭礼をおこなったのが起源《きげん》。現在《げんざい》は5月17日に徳川宗家《とくがわそうけ》がつとめている。

1分でざっくりわかる「日光東照宮春季例大祭《にっこうとうしょうぐうしゅんきれいたいさい》」

「百物揃千人武者行列《ひゃくものぞろいせんにんむしゃぎょうれつ》」は、徳川家康《とくがわいえやす》の神輿《しんよ》が豊臣秀吉《とよとみひでよし》と源《みなもとの》頼朝《よりとも》の神輿をしたがえ、二荒山《ふたらさん》神社から神橋《しんきょう》近くのお旅所《たびしょ》を往復《おうふく》します。総勢《そうぜい》1200余名《よめい》が鎧武者《よろいむしゃ》をはじめ、獅子《しし》、神官《しんかん》、八乙女《やおとめ》、稚児《ちご》など53種《しゅ》の役割《やくわり》をにない、神輿を守りながら進みます。

会場 日光東照宮《にっこうとうしょうぐう》、二荒山《ふたらさん》神社ほか　**問い合わせ** 日光東照宮

おもな行事日程《にってい》

5月17日

弓矢渡《わた》し式・みそぎ行事 13：00 五重塔《ごじゅうのとう》前

神事流鏑馬《しんじやぶさめ》 13：30〜14：30 表参道特設馬場《おもてさんどうとくせつばば》

宵成渡御《よいなりとぎょ》 16：00

●神輿3基《き》が日光東照宮から二荒山神社へ向かう。

家康《いえやす》の神輿《しんよ》の正面にはトラ、
秀吉《ひでよし》はサル、頼朝《よりとも》は
鳥居《とりい》がついているよ

5月18日

神輿渡御祭《しんよとぎょさい》「百物揃千人武者行列《ひゃくものぞろいせんにんむしゃぎょうれつ》」

11：00 渡御《とぎょ》 二荒山神社⇒日光東照宮⇒五重塔前⇒表参道⇒お旅所

12：00 お旅所祭《たびしょさい》 ●八乙女神楽《やおとめかぐら》、東遊《あずまあそび》の舞《まい》が奉納《ほうのう》される。

13：00 還御《かんぎょ》 お旅所⇒表参道⇒五重塔前⇒陽明門《ようめいもん》⇒神輿舎《しんよしゃ》

13：30 還御祭《かんぎょさい》 神輿舎前

ひと口メモ

日光《にっこう》は、江戸《えど》から見ると北極星《ほっきょくせい》がかがやく真北にある。道教《どうきょう》によれば北極星は全宇宙《ぜんうちゅう》を支配《しはい》する天《てん》帝《てい》の住居《じゅうきょ》とされ、家康《いえやす》は死後も天帝と一体の存在《そんざい》として君臨《くんりん》しようとしたという説がある。

三国祭《みくにまつり》

巨大《きょだい》な人形山車《にんぎょうやま》が豪快《ごうかい》に練《ね》り歩く

5月19日〜21日
福井《ふくい》県坂井《さかい》市

奉納山車人形《ほうのうやまにんぎょう》 毎年、当番区手作りの武者人形《むしゃにんぎょう》などをのせた6基《き》が出来栄《できば》えを競《きそ》いあう。

三国祭《みくにまつり》は、福井県北部に位置《いち》する坂井《さかい》市三国町《みくにちょう》の三國《みくに》神社のお祭りです。

江戸《えど》時代、三国湊《みくにみなと》は北前船《きたまえぶね》の寄港地《きこうち》として栄《さか》え、今も「三国湊きたまえ通り」には格子戸《こうしど》が連《つら》なる町家《まちや》をはじめ、廻船《かいせん》問屋《どんや》や豪商《ごうしょう》の面影《おもかげ》がのこっています。

豪商たちは三國神社の例大祭《れいたいさい》に巨大《きょだい》な山車人形《やまにんぎょう》を奉納《ほうのう》するようになり、どんどん大きくなって明治《めいじ》時代には近くの村からも人形の頭が見えたといわれます。

5月20日には、露店《ろてん》がぎっしりとならぶ通りを神輿《みこし》2基《き》とともに当番《とうばん》山車《やま》6基が練《ね》り歩き、平日開催《かいさい》の年には学校も休みになるほど盛大《せいだい》です。

お祭りの由来 三国祭《みくにまつり》はすでに300年ほど前の江戸《えど》時代中期にはおこなわれていた記録《きろく》がある。1753年の『町々山覚《まちまちやまおぼえ》』に神功皇后《じんぐうこうごう》をつくったとあり、屋台に大きな人形をのせるようになった起源《きげん》とされる。

1分でざっくりわかる「三国祭《みくにまつり》」

5月20日の中日祭《ちゅうにちさい》が本番、舟神輿《ふなみこし》と大神輿《おおみこし》を中心に奉納《ほうのう》山車《やま》人形《にんぎょう》6基《き》が町内を練《ね》り歩きます。
三国湊《みくにみなと》きたまえ通りでの「待《ま》ち囃子《ばやし》」、せまい路地での豪快《ごうかい》な山車《やま》の取《と》り廻《まわ》しが見どころです。
2022年から前夜祭として「宵山車巡行《よいやまじゅんこう》」がおこなわれるようになりました。

会場 三國《みくに》神社から三国駅周辺《しゅうへん》　**問い合わせ** 三国祭保存振興会《みくにまつりほぞんしんこうかい》(三国コミュニティセンター内)

おもな行事日程《にってい》

5月15日
17：00 **宮開き式** 三國神社

5月15日 ▶ 5月18日
10：00〜17：00
山車展示《やまてんじ》 当番区

5月19日
10：00 **大祭式典《たいさいしきてん》** 三國神社
19：00〜21：00 **宵山車巡行《よいやまじゅんこう》**
● 三国祭保存振興会の山車《やま》1基《き》が出る。

5月20日
8：00〜12：00
● 当番山車6基が三國神社へ向かう。
10：00 **中日祭《ちゅうにちさい》式典** 三國神社
12：00 **発幸祭《はっこうさい》** 三國神社
13：00 ● 神輿・山車が順次《じゅんじ》、出発する。
18：00 **還幸祭《かんこうさい》** 三國神社
20：00〜21：00
● 山車が各山車蔵《かくやまぐら》へ帰還《きかん》する。

5月21日
10：00 **後日祭《ごにちさい》式典** 三國神社

初《はじ》めての宵山《よいやま》車は、
伊達政宗《だてまさむね》だったよ!

ひと口メモ 三国祭《みくにまつり》では、継体天皇《けいたいてんのう》の舟神輿《ふなみこし》を男衆《おとこしゅう》がかつぎ、山王大権現《さんのうだいごんげん》(大山咋命《おおやまくいのみこと》)の大神輿《おおみこし》を台車にのせて曳《ひ》く。継体天皇は、『日本書紀《にほんしょき》』によれば天皇になる前に越前《えちぜん》地方一帯《いったい》を治《おさ》めていたとされる。

三社祭《さんじゃまつり》

浅草《あさくさ》の繁栄《はんえい》をつくった3人の神さまに感謝《かんしゃ》

5月第3土曜日
前後3日間
東京《とうきょう》都台東《たいとう》区

本社神輿《ほんしゃみこし》 一之宮《いちのみや》は浅草寺《せんそうじ》の創始者《そうししゃ》の神輿、二之宮《にのみや》と三之宮《さんのみや》は観音像《かんのんぞう》を川からすくった兄弟の神輿。

*擬宝珠《ぎぼし》=橋の欄干《らんかん》などについているネギ坊主《ぼうず》の形の飾《かざ》り。

三社祭《さんじゃまつり》は、浅草寺《せんそうじ》にとなりあった浅草《あさくさ》神社の例大祭《れいたいさい》です。明治新政府《めいじしんせいふ》の神仏分《しんぶつぶん》離《り》までは浅草寺とともに、本尊《ほんぞん》の観音像《かんのんぞう》が隅田川《すみだがわ》から引き上げられた旧暦《きゅうれき》3月18日にあわせておこなっていました。

初日《しょにち》は、お囃子《はやし》屋台をはじめ、鳶頭《とびがしら》木遣《きや》り、芸妓連《げいぎれん》の手古舞《てこまい》・組踊《くみおどり》、白鷺《しらさぎ》の舞などの大行列がくりだし、神前に「びんざさら舞」が奉納《ほうのう》されます。

2日めには、44ある氏子《うじこ》町会の大小100基《き》をこえる神輿《みこし》がお祓《はら》いを受けたあと、各《かく》町内を練《ね》り歩きます。

いよいよ3日め、3基の本社神輿が早朝から夜まで渡御《とぎょ》し、最高潮《さいこうちょう》に達《たっ》します。

お祭りの由来 三社祭《さんじゃまつり》は、浅草《あさくさ》神社にまつられる3人の神さまが年に一度、浅草寺《せんそうじ》にまつられる観音《かんのん》さまと一晩《ひとばん》をすごしたのち、神輿《みこし》にのって街《まち》の様子をご覧《らん》になるという言《い》い伝《つた》えから生まれたとされる。

1分でざっくりわかる「三社祭《さんじゃまつり》」

三社祭といえば神輿《みこし》。町内神輿には粋《いき》な半纏姿《はんてんすがた》の女神輿やかわいらしい子ども神輿もあり、70人以上《いじょう》でかつぐ本社神輿の重さは1トンをこえます。町民《ちょうみん》も観客《かんきゃく》も一体となって「ソイヤ、ソイヤ」のかけ声とともに練《ね》り歩き、宮入り後、三本締《さんぼんじ》めで終わります。

会場 浅草《あさくさ》神社ほか　**問い合わせ** 浅草神社

おもな行事日程《にってい》

前夜

19:00 **本社《ほんしゃ》神輿《みこし》神霊《みたま》入《い》れの儀《ぎ》**

金曜日

大行列 **13:00～15:00**

東京浅草組合前⇒浅草寺⇒浅草神社

● お囃子《はやし》屋台・鳶頭《とびがしら》木遣《きや》り・びんざさら舞《まい》・白鷺《しらさぎ》の舞などが練《ね》り歩く。雨天中止。

14:20 **びんざさら舞奉納《まいほうのう》** 社殿《しゃでん》

15:00 **びんざさら舞奉納** 神楽殿《かぐらでん》

15:30 **各町《かくちょう》神輿神霊入れの儀**

土曜日

10:00 **例大祭式典《れいたいさいしきてん》**

町内神輿連合渡御《れんごうとぎょ》 **12:00～夕方**

浅草神社⇒浅草寺⇒各町内

● 町内神輿約《やく》100基《き》が浅草神社でお祓《はら》いを受けたのち、各町内をめぐる。

日曜日

6:00 **本社神輿宮出し・各町渡御**

● 一之宮《いちのみや》は西部、二之宮《にのみや》は南部、三之宮《さんのみや》は東部を練《ね》り歩く。

20:00 **本社神輿宮入り・神霊返《みたまがえ》しの儀**

びんざさらは、
伸縮《しんしゅく》させて
音を鳴らすよ
びんざさら
鼓《つづみ》

びんざさら舞《まい》

もっと知りたい! 古風ではなやかな「びんざさら舞《まい》」

観音像《かんのんぞう》をまつる草庵《そうあん》ができたとき、周辺《しゅうへん》の農民《のうみん》がよろこんで踊《おど》ったのが始まりとされます。「びんざさら」とは、うすい板を何十枚もたばねた楽器のこと。笛や鼓《つづみ》とともに、白とエンジの色糸を垂《た》らした笠《かさ》に金襴《きんらん》の衣装《いしょう》で、五穀豊穣《ごこくほうじょう》を願《ねが》って奉納《ほうのう》されます。あわせて子孫繁栄《しそんはんえい》の獅子舞《ししまい》もおこなわれ、室町《むろまち》時代から江戸《えど》時代初期《しょき》の民俗芸能《みんぞくげいのう》をつたえています。

ひと口メモ 628年、隅田川《すみだがわ》で漁《りょう》をしていた檜前浜成《ひのくまのはまなり》・武成《たけなり》兄弟の網《あみ》に観音像《かんのんぞう》がかかり、土師真中知《はじのまなかち》という人がまつったのが浅草寺《せんそうじ》の本尊《ほんぞん》とされる。浅草《あさくさ》神社は、この3人を三社大権現《さんじゃだいごんげん》としてまつっている。

相馬野馬追《そうまのまおい》

戦国《せんごく》の世にタイムスリップ！

甲冑競馬《かっちゅうけいば》 白鉢巻《しろはちまき》をしめた騎馬武者《きばむしゃ》たちが旗指物《はたさしもの》をなびかせて疾走《しっそう》する。

無形

5月最終《さいしゅう》日曜日
前後3日間
福島《ふくしま》県相馬《そうま》市・
南相馬《みなみそうま》市

相馬野馬追《そうまのまおい》は、相馬氏《そうまし》の氏神《うじがみ》である相馬三妙見社《みょうけんしゃ》（相馬太田《おおた》神社・相馬中村《なかむら》神社・相馬小高《おだか》神社）の合同例祭《れいさい》にあわせて3日間にわたっておこなわれます。戦国《せんごく》時代さながらに甲冑《かっちゅう》（鎧《よろい》や兜《かぶと》などの武具《ぶぐ》）に身をかためた数百人の騎馬武《きばむ》者《しゃ》と馬たちが主役のお祭りです。初日《しょにち》に各《かく》神社で出陣式《しゅつじんしき》がおこなわれ、2日めの本祭《ほんまつり》での神旗争奪戦《しんきそうだつせん》が最高《さいこう》の見せ場。打ち上げた花火のなかから舞《ま》いおりる神旗に、数百騎《き》の騎馬武者たちが突《とっ》進《しん》するさまは迫力満点《はくりょくまんてん》です。

相馬野馬追をささえる甲冑づくりも、相馬地方の伝統工芸《でんとうこうげい》として有名です。

お祭りの由来

平安《へいあん》時代に 平 将門《たいらのまさかど》が野生の馬を敵兵士《てきへいし》に見立てておこなった軍事訓練《ぐんじくんれん》を起源《きげん》とし、将門を始祖《しそ》とする相馬氏《そうまし》が 領主《りょうしゅ》となって以来《いらい》、捕《と》らえた馬を氏神《うじがみ》にささげる神事としてつづけられてきた。

1分でざっくりわかる「相馬野馬追《そうまのまおい》」

初日《しょにち》、旧相馬藩領《きゅうそうまはんりょう》の五郷《ごごう》（5地区）の氏神《うじがみ》をまつる3神社で出陣式《しゅつじんしき》がおこなわれます。
五郷の騎馬武者総勢《きばむしゃそうぜい》400騎《き》が甲冑《かっちゅう》と先祖伝来《せんぞでんらい》の旗指物《はたさしもの》をつけて集結《しゅうけつ》する2日めが本祭《ほんまつり》で、
天から舞《ま》いおりる神旗《しんき》を奪《うば》いあう「神旗争奪戦《しんきそうだつせん》」でクライマックスをむかえます。

会場 雲雀ヶ原祭場地《ひばりがはらさいじょうち》(南相馬《みなみそうま》市)ほか　**問い合わせ** 相馬野馬追執行委員会《しっこういいんかい》
(南相馬市観光交流課《かんこうこうりゅうか》内)

おもな行事日程《にってい》

土曜日
出陣式《しゅつじんしき》
●各《かく》神社で出陣式後、お繰《く》り出《だ》し行列、宵乗競馬《よいのりけいば》がおこなわれる。

日曜日
野馬追本祭《のまおいほんまつり》

9:30　**お行列《ぎょうれつ》**
●野馬追通りを本陣《ほんじん》（雲雀ヶ原《ひばりがはら》祭場地《さいじょうち》）目指して進軍《しんぐん》する。

12:00　**甲冑競馬《かっちゅうけいば》**
雲雀ヶ原祭場地

13:00　**神旗争奪戦《しんきそうだつせん》**
雲雀ヶ原祭場地

14:15　**お上がり馬行列**
●陣笠《じんがさ》・陣羽織《じんばおり》の軽装《けいそう》で各郷《かくごう》へ。

月曜日
野馬懸《のまかけ》
●相馬小高《そうまおだか》神社でおこなわれる。

もっと知りたい！ 古来の姿《すがた》を現在《げんざい》にのこす「野馬懸《のまかけ》」

「野馬追《のまおい》」の名の由来とされる相馬小高神社《そうまおだかじんじゃ》の神事。数頭の裸馬《はだかうま》を騎馬武者《きばむしゃ》たちが追いこみ、白装束《しろしょうぞく》の「御小人《おこびと》」とよばれる男たちが素手《すで》で捕《と》らえ、「神馬《しんめ》」として神前に奉納《ほうのう》する。これが、願《ねが》いごとを書いて寺社に奉納する「絵馬《えま》」の起源《きげん》ともいわれています。

ひとロメモ
野馬追《のまおい》の神事とお祭りは明治《めいじ》時代以降《いこう》、7月に開催《かいさい》されてきたが、2024年から5月最終《さいしゅう》日曜日前後3日間に変更《へんこう》された。地球温暖化《おんだんか》による熱暑対策《ねっしょたいさく》のため、馬と人の健康《けんこう》を考えてのことなんだ。

友だちに教えたくなる お祭り豆知識《まめちしき》❷

神輿《みこし》と山車《だし》

山車《だし》

山・鉾《ほこ》・屋台行事は
140 ページを見てね

お祭りでは、神輿《みこし》や鳳輦《ほうれん》、山鉾《やまほこ》、山笠《やまかさ》、屋台などが練《ね》り歩きます。

神輿は神さまの乗り物です。鳳輦は神輿よりも古く中国からつたわり、日本では天皇《てんのう》の乗り物とされています。ふだんは神社にまつられている神さまや天皇が人々《ひとびと》に幸せをさずけるために神輿や鳳輦で外出することを「神幸《しんこう》」といい、神幸行列にしたがうのが山車《だし》です。

山車には囃子方《はやしかた》などが乗り、台車がついています。「山鉾」「山笠」「曳山《ひきやま》」「だんじり」などともよばれ、舞台《ぶたい》で芸能《げいのう》を演《えん》じる「屋台」もふくまれます。

山鉾には、神さまを歓迎《かんげい》するとともに、悪霊《あくりょう》を集めて退散《たいさん》させる意味があります。神さまや悪霊の依代《よりしろ》として、「山」には松《まつ》や人形を立て、「鉾《ほこ》」は飾《かざ》りが高くつき出ています。神輿や山車をはげしくゆらすのは「魂《たま》ふり」といって神さまの力を高める意味があります。

夏のお祭り

祇園祭《ぎおんまつり》

1か月にわたって祇園囃子《ぎおんばやし》が鳴りひびく

有形

無形

ユネスコ

7月1日～31日
京都府《きょうとふ》京都市

祇園祭《ぎおんまつり》は京都《きょうと》八坂《やさか》神社のお祭りです。八坂神社は、明治新政府《めいじしんせいふ》の神仏分離《しんぶつぶんり》までは「祇園社《ぎおんしゃ》」とよばれ、インドの仏教寺《ぶっきょうじ》院（祇園精舎《ぎおんしょうじゃ》）の守り神である牛頭天王《ごずてんのう》を祭神《さいじん》としていました。牛頭天王は疫病《えきびょう》をしずめる神であり、日本ではスサノオと同じとして信仰《しんこう》されてきました。

平安《へいあん》時代の人々《ひとびと》は災《わざわ》いや疫病を悪霊《あくりょう》のたたりと考え、鉾《ほこ》を立ててそこに悪霊をおろし、祇園社の神をまつることでしずめようとしました。疫病流行の年だけおこなわれていましたが、毎年おこなわれるようになったのは９７０年からです。

稚児《ちご》がのるのは
長刀鉾《なぎなたほこ》だけだよ
コンコンチキチン♪
コンチキチン♪

長刀鉾《なぎなたほこ》

先端《せんたん》につけた大長刀《おおなぎなた》で疫病《えきびょう》・邪悪《じゃあく》をはらうとされ、17日の山鉾巡行《やまほこじゅんこう》の先頭を行く。

お祭りの由来　869年、日本各地《かくち》で疫病《えきびょう》が流行したときに悪霊退散《あくりょうたいさん》のため、清和天皇《せいわてんのう》の勅願《ちょくがん》によって当時の国の数と同じ66本の鉾《ほこ》を神泉苑《しんせんえん》に立て、祇園社《ぎおんしゃ》の神輿《みこし》を送り、祇園御霊会《ぎおんごりょうえ》をおこなったのが起源《きげん》。

1分でざっくりわかる「祇園祭《ぎおんまつり》」

7月1か月間にわたりさまざまな行事がおこなわれますが、見どころは17日と24日。
34基《き》の「山鉾巡行《やまほこじゅんこう》」と八坂《やさか》神社の3基の「神輿渡御《みこしとぎょ》」がおこなわれます。
17日には長刀鉾《なぎなたほこ》を先頭に23基《き》、24日には橋弁慶山《はしべんけいやま》を先頭に11基が逆回《ぎゃくまわ》りで巡行《じゅんこう》します。

会場 八坂《やさか》神社および京都《きょうと》市中心街《ちゅうしんがい》　**問い合わせ** 京都市観光協会《かんこうきょうかい》

おもな行事日程《にってい》

7月1日▶7月10日 **吉符入《きっぷい》り** 各山鉾町《かくやまほこちょう》会所
- 神事の打ち合わせをおこなう。

7月1日 10：00 **長刀鉾町《なぎなたほこちょう》お千度《せんど》の儀《ぎ》** 八坂神社
- 神の使いとされる稚児《ちご》が選《えら》ばれたことを神前に報告《ほうこく》する。

7月2日 10：00 **くじ取り式** 京都市役所
- 山鉾巡行《やまほこじゅんこう》の順番《じゅんばん》を決める。

7月13日 11：00 **長刀鉾《なぎなたほこ》稚児《ちご》社参《しゃさん》** 八坂神社
- 「お位《くらい》もらい」とよばれ、稚児は17日の山鉾巡行まで身をつつしむ。

7月14日▶7月16日 **前祭宵山《さきまつりよいやま》** 前祭各山鉾町会所
- 山鉾をかざり、祇園囃子《ぎおんばやし》を奏《かな》でる。

7月15日 20：00 **宵宮祭《よいみやさい》** 八坂神社
- 3基《き》の神輿に神霊《しんれい》をうつす。

7月17日 9：00～ **前祭山鉾巡行《さきまつりやまほこじゅんこう》**
四条烏丸《しじょうからすま》⇒河原町通《かわらまちどおり》⇒烏丸御池《からすまおいけ》
16：00～23：00 **神幸祭《しんこうさい》（神輿渡御《みこしとぎょ》）**
八坂神社⇒四条お旅所《たびしょ》

7月21日▶7月23日 **後祭宵山《あとまつりよいやま》** 後祭各山鉾町会所
- 山鉾をかざり、祇園囃子を奏でる。

7月24日 9：30～11：00 **花傘巡行《はながさじゅんこう》** 氏子区内⇒八坂神社
9：30～ **後祭山鉾巡行《あとまつりやまほこじゅんこう》**
烏丸御池⇒河原町通⇒四条烏丸
16：00～23：30 **還幸祭《かんこうさい》（神輿渡御）**
四条お旅所⇒八坂神社

7月29日 16：00 **神事済奉告祭《しんじすみほうこくさい》** 八坂神社

7月31日 10：00 **疫神社《えきじんじゃ》夏越祭《なごしさい》** 八坂神社境内《けいだい》
- 大茅輪《おおちのわ》をくぐって厄《やく》をはらい、護符《ごふ》をさずかる。

橋弁慶山《はしべんけいやま》
牛若丸《うしわかまる》と弁慶《べんけい》が五条《ごじょう》大橋の上で戦《たたか》う姿《すがた》をあらわしている。

ひと口メモ 八坂《やさか》神社は、災厄《さいやく》の根源《こんげん》であるヤマタノオロチを退治《たいじ》したスサノオを主祭神《しゅさいじん》とし、妻のクシナダヒメ、夫妻《ふさい》の子である8人の八柱御子神《やばしらのみこのかみ》をまつっている。3基《き》の神輿《みこし》には、その神霊《しんれい》がのっている。

博《はか》多《た》祇《ぎ》園《おん》山《やま》笠《かさ》

山笠《やまかさ》をかついで猛《もう》スピードでかけぬける

無形

ユネスコ

7月1日～15日
福岡《ふくおか》県福岡市

「オイッサ！オイッサ！」のかけ声も勇《いさ》ましい

舁《か》き山笠《やまかさ》

水法被《みずはっぴ》に締込《しめこ》み姿《すがた》は舁《か》き手《て》だけにゆるされ、流《ながれ》ごとにちがう。

博多《はかた》祇園山笠《ぎおんやまかさ》は、博多人形師《にんぎょうし》がつくる山笠を櫛田《くしだ》神社にまつられるスサノオ（祇園大神《ぎおんおおかみ》）に奉納《ほうのう》するお祭りです。

10メートルをこえる豪華《ごうか》な13基《き》の「飾《かざ》り山笠《やまかさ》」が市内各所《かくしょ》で披露《ひろう》され、7基の「舁《か》き山笠《やまかさ》」が〝勢《いきお》い水《みず》〟をかけられながら博多の町を勇壮《ゆうそう》にかけぬけます。

1587年に九州を平定した豊臣秀吉《とよとみひでよし》の町割《まちわり》をもとに「流《ながれ》」とよばれる町会が山笠の大きさや飾《かざ》りを競《きそ》いあい、速《はさ》さを競う「追い山笠」が始まったのは江戸《えど》時代前期とされます。電線がなかった明治《めいじ》時代の1897年までは、巨大《きょだい》な飾り山笠をかついでおこなっていました。

お祭りの由来

鎌倉《かまくら》時代の1241年に博多《はかた》で疫病《えきびょう》が流行し、中国留学《りゅうがく》から帰国したばかりの禅宗《ぜんしゅう》の高僧《こうそう》が、町人がかつぐ施餓鬼棚《せがきだな》から祈祷水《きとうすい》をまいたことが、櫛田《くしだ》神社の祇園信仰《ぎおんしんこう》とむすびついたとされる。

1分でざっくりわかる「博多祇園山笠《はかたぎおんやまかさ》」

7月15日早朝、大太鼓《おおだいこ》の合図で一番山笠から8基《き》が櫛田入《くしだい》りのタイムを競《きそ》います。その後、七流《しちながれ》7基がゴールの須崎町《すさきまち》の廻《まわ》り止《ど》めまで全コース約《やく》4kmを30分ほどでかけぬけるときは、各流約《かくながれやく》1トンの舁《か》き山笠《やまかさ》を26～28人でかつぎ、走りながら次々《つぎつぎ》と舁き手が交替《こうたい》していきます。

会場 櫛田《くしだ》神社ほか　**問い合わせ** 博多祇園山笠振興会《しんこうかい》(櫛田神社内)

おもな行事日程《にってい》

7月1日 **注連《しめ》下《お》ろし・御神《ごしん》入《い》れ**
●舁《か》き山笠《やまかさ》を持つ七流《しちながれ》が区域《くいき》内をきよめ、15日早朝まで飾《かざ》り山笠《やまかさ》が公開される。

7月9日 **全流《ながれ》お汐井《しおい》とり** 箱崎浜《はこざきはま》⇒筥崎宮《はこざきぐう》⇒櫛田《くしだ》神社
●夕方、各流《かくながれ》の舁《か》き手《て》が身をきよめるための真砂《まさご》をとりにいく。

7月10日 **流《ながれ》舁《が》き**
●舁き山笠の始まり。各流が区域内を舁きまわる。

7月11日 **朝山笠・他《た》流《ながれ》舁《が》き**
●朝は子どもたちをのせ、夕方は流区域外へ出向いて舁く。

7月12日 **15：59 追い山笠ならし**
●追い山笠のリハーサル。

7月13日 **15：30 集団山笠見せ**
呉服町《ごふくまち》⇒福岡《ふくおか》市役所前⇒中洲川端《なかすかわばた》
●全流が明治通りをかけぬける。

7月14日 **流舁き**
●本番前最後《さいご》の舁き山笠。各流が区域内を舁きまわる。

7月15日 **早朝4：59 追い山笠**
●「櫛田入り」と「全コース」のタイムを競《きそ》う。

櫛田入《くしだい》りには、川端通《かわばたどおり》の
“走る飾《かざ》り山笠《やまかさ》”も出るよ

ひと口メモ 櫛田《くしだ》神社は、大幡主命《おおはたぬしのみこと》（櫛田大神《くしだおおかみ》）、アマテラス（天照大神《あまてらすおおみかみ》）、スサノオ（祇園大神《ぎおんおおかみ》）をまつる博《はか》多《た》の総鎮守《そうちんじゅ》。「追《お》い山笠《やまかさ》」の起点であり、境内《けいだい》には飾《かざ》り山笠《やまかさ》が6月をのぞき一年中展示《てんじ》されている。

宇《う》出《し》津《つ》あばれ祭《まつり》

能《の》登《と》半島に夏をよぶトップバッター

7月
第1金・土曜日
石川県能登町《のとちょう》

7月から9月にかけて石川県能登《のと》半島各《かく》地《ち》でおこなわれる伝統的《でんとうてき》なお祭りに「キリコ祭り」があります。

キリコとは「切子灯籠《きりことうろう》」の略《りゃく》で、かつぎ棒《ぼう》がついた巨大《きょだい》な山車灯籠《だしとうろう》のこと。神さまへの奉燈《ほうとう》であり、道案内の灯《あか》りとして神輿《みこし》巡行《じゅんこう》にお供《とも》します。

そのキリコ祭りのトップを切っておこなわれるのが、能登町《のとちょう》宇出津《うしつ》地区につたわる「宇出津あばれ祭」です。

巨大な柱松明《はしらたいまつ》や置松明《おきたいまつ》がたかれ、火《ひ》の粉《こ》が舞《ま》うなか、神輿もキリコも大暴《おおあば》れ。キリコ祭りのなかで、もっとも勇《いさ》ましく元気なお祭りとして知られています。

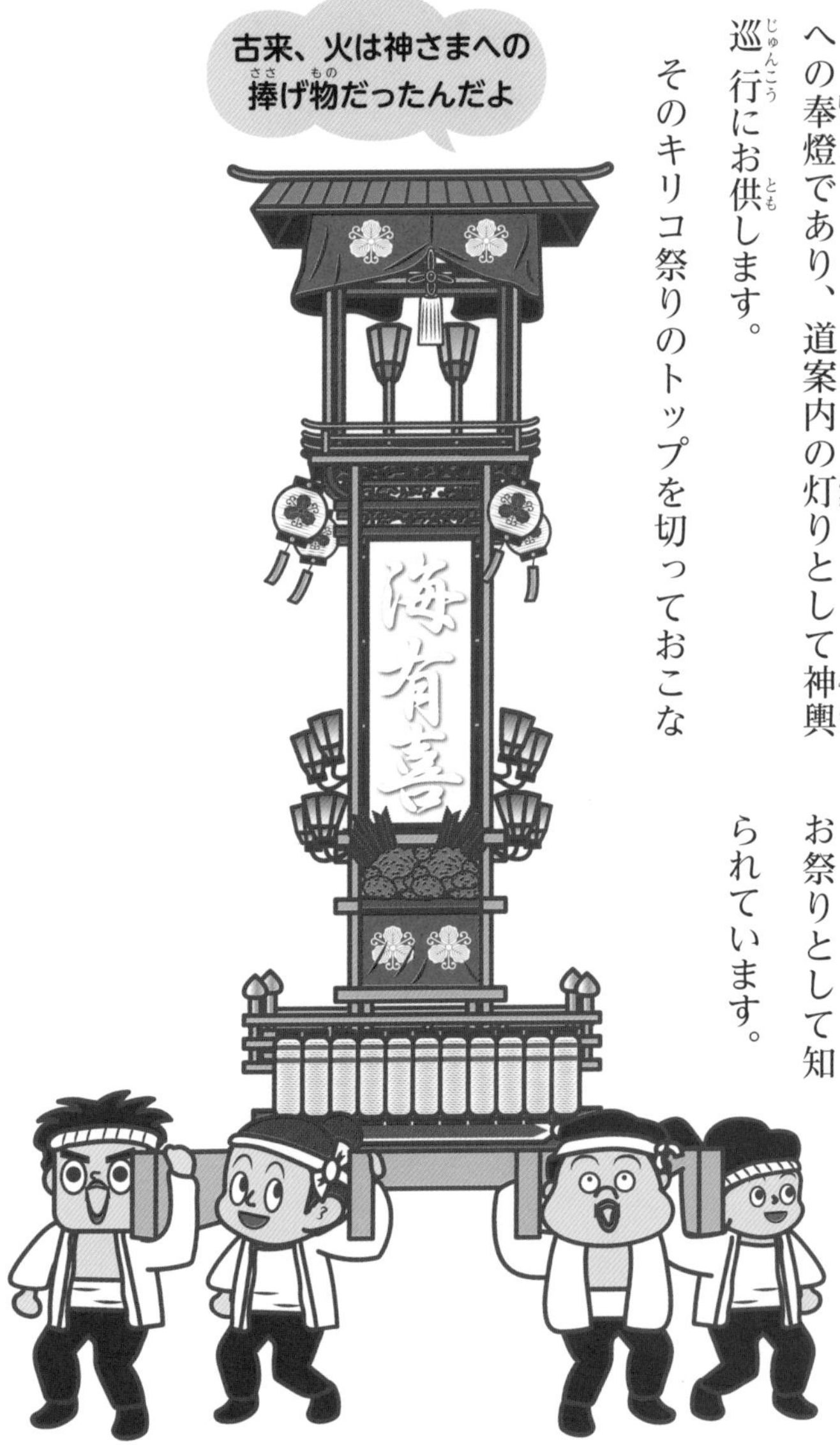

キリコ 白木の枠《わく》の中に電灯《でんとう》が入っていて、灯《あか》りをともすと大書きの文字がうかびあがる。

お祭りの由来 江戸《えど》時代初期《しょき》、宇出津《うしつ》で疫病《えきびょう》が流行し、京都《きょうと》八坂《やさか》神社の牛頭天王《ごずてんのう》（スサノオ）をまつり疫病退《たい》散《さん》を祈願《きがん》したところ、青いハチがあらわれて多くの病人を救《すく》った。その感謝《かんしゃ》のお参《まい》りが起源《きげん》とされる。

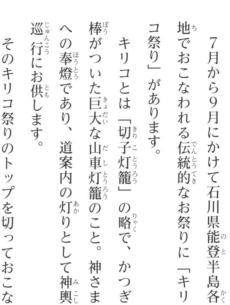

1分でざっくりわかる「宇出津《うしつ》あばれ祭《まつり》」

宇出津《うしつ》八坂《やさか》神社から2基《き》の神輿《みこし》が出て、それぞれ白山《はくさん》神社と酒垂《さかたる》神社の氏子町内《うじこちょうない》をキリコとともに巡行《じゅんこう》します。見どころは、初日宵祭《しょにちよいまつり》の「キリコの大松明乱舞《おおたいまつらんぶ》」と、翌日《よくじつ》の「あばれ神輿」です。大暴《おおあば》れするほど神さまがよろこぶといわれています。

会場 宇出津八坂《うしつやさか》神社、宇出津港いやさか広場ほか　**問い合わせ** 能登町《のとちょう》ふるさと振興課《しんこうか》

おもな行事日程例《にっていれい》

金曜日

7：30 **八坂《やさか》神社神事**

8：00 **神輿巡行《みこしじゅんこう》** ●白山《はくさん》神社・酒垂《さかたる》神社の氏子町内《うじこちょうない》へ。

14：00 **キリコ巡行（棚木詰《たなきづ》め）** ●白山《はくさん》神社方面に集結《しゅうけつ》。

17：00〜 **ヨバレ** ●下のひと口メモを見てね。

21：00〜23：00 **キリコの大松明乱舞《おおたいまつらんぶ》** いやさか広場
●約《やく》40基《き》のキリコが高さ約7mの柱松明《はしらたいまつ》5本をかこんで火《ひ》の粉《こ》をあびながら練《ね》りまわる。

土曜日

7：00 **神輿巡行** ●白山神社・酒垂神社のお旅所へ。

14：00 **キリコ巡行（町詰《まちづ》め）** ●酒垂神社方面に集結。

17：00〜 **ヨバレ**

20：30／22：00 **あばれ神輿出発・梶川《かじがわ》巡行（カンノジ松明）**
●それぞれの神輿を、かつぎ手が水《みず》攻《ぜ》め・火《ひ》攻《ぜ》めで容赦《ようしゃ》なく傷《いた》めつける。

24：00／25：30 **神輿入宮《にゅうぐう》** 八坂神社

ひと口メモ 石川県の七尾《ななお》市・輪島《わじま》市をはじめ約《やく》200地区でおこなわれているキリコ祭りは、キリコの形やお祭りの内容《ないよう》もいろいろだが、親戚《しんせき》や友人をごちそうでもてなす「ヨバレ」という風習は共通している。

那智《なち》の扇祭《おうぎまつ》り

扇神輿《おうぎみこし》と大松明《おおたいまつ》が世界遺産《せかいいさん》の地で乱舞《らんぶ》

無形

ユネスコ

7月14日
和歌山《わかやま》県
那智勝浦町《なちかつうらちょう》

那智《なち》の扇祭《おうぎまつ》りは、世界遺産《せかいいさん》に登録《とうろく》された「熊野三山《くまのさんざん》」のひとつ、熊野那智大社《くまのなちたいしゃ》の例大《れいたい》祭《さい》です。燃《も》えさかる12本の大松明《おおたいまつ》が印象的《いんしょうてき》なことから「那智の火祭り」とよばれ、親しまれています。

熊野那智大社にまつられる熊野十二所権《くまのじゅうにしょごん》現《げん》が、那智大滝《なちのおおたき》をあらわす12基《き》の扇神輿《おうぎみこし》にのって御瀧本《おたきもと》に建《た》つ別《べつ》宮《ぐう》「飛瀧神社《ひろうじんじゃ》」に里帰りします。その参道《さんどう》を12本の大松明がきよめてむかえます。

白装束《しろしょうぞく》の氏子《うじこ》が重さ50キロ以上《いじょう》の大松明をかかえて石段《いしだん》を上《のぼ》り下《お》りする「ハリヤ、ハリヤ」のかけ声が参道や滝にひびきわたり、迫力《はくりょく》いっぱいです。

お祭りの由来
初代神武天皇《しょだいじんむてんのう》が即位《そくい》前、那智大滝《なちのおおたき》をご神体《しんたい》としてまつったのが熊野那智大社《くまのなちたいしゃ》の起源《きげん》。317年に現《げん》在地《ざいち》にうつり、熊野十二所権現《くまのじゅうにしょごんげん》を年に一度、御瀧本《おたきもと》に扇神輿《おうぎみこし》で里帰りさせる神事が始まった。

1分でざっくりわかる「那智《なち》の扇祭《おうぎまつ》り」

那智大滝《なちのおおたき》がある熊野《くまの》地方はもともと、龍《りゅう》がすむといわれるほど雨の多いところ。

那智の扇祭りは、熊野の12の神々《かみがみ》、熊野十二所権現《くまのじゅうにしょごんげん》に一年間の豊作《ほうさく》を願《ねが》うお祭りです。

金地に朱色《しゅいろ》の日の丸が描《えが》かれた扇と鏡《かがみ》でかざられた扇神輿《おうぎみこし》が大松明《おおたいまつ》に照《て》らされてかがやきます。

会場 熊野那智大社《くまのなちたいしゃ》、飛瀧《ひろう》神社ほか　**問い合わせ** 熊野那智大社

おもな行事日程《にってい》

10：00 御本社大前《ごほんしゃおおまえ》の儀《ぎ》
- 大和舞《やまとまい》（稚児舞《ちごまい》）・那智田楽《なちでんがく》・御田植式《おたうえしき》が奉納《ほうのう》される。

13：00 扇神輿渡御祭《おうぎみこしとぎょさい》 熊野那智大社⇒飛瀧神社

13：30 伏拝扇立神事《ふしおがみおうぎたてしんじ》
- 参道《さんどう》の途中《とちゅう》で扇神輿を立ててかざり、大松明《おおたいまつ》は先行する。

14：00 御火《おひ》行事
- 大松明がいっせいに点火され、参道の石段《いしだん》を上り下りして扇神輿を順次《じゅんじ》むかえる。

14：20 御瀧本《おたきもと》大前の儀
- 御田刈式《おたかりしき》・那瀑舞《なばくまい》が奉納される。

15：30 扇神輿還御祭《かんぎょさい》 飛瀧神社⇒熊野那智大社

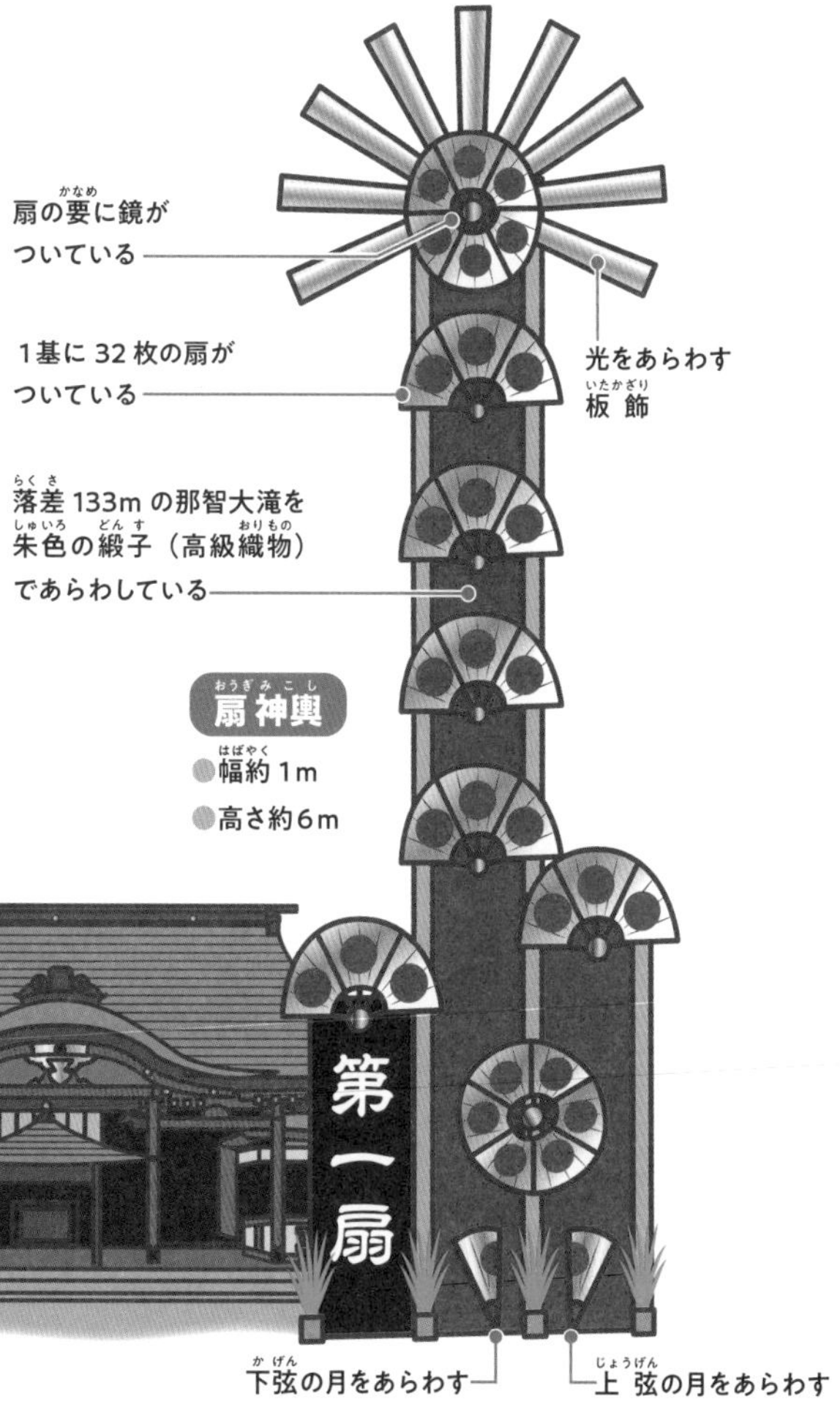

ひとロメモ 杉木立《すぎこだち》のなか、参道《さんどう》の左右は観覧者《かんらんしゃ》でいっぱい。大松明《おおたいまつ》から落ちた炭を顔や体に塗《ぬ》るとさまざまなご利益《りやく》があるといわれ、子どもたちの顔は炭でまっ黒！　炭のかけらを持ち帰る人もいるよ。

郡上《ぐじょう》おどり

30夜にわたる日本一ロングランの盆踊《ぼんおど》り

無形

ユネスコ

7月第2土曜日〜9月第1土曜日
岐阜県郡上市《ぎふけんぐじょうし》

徹夜《てつや》おどり

8月のお盆《ぼん》4日間は朝までエンドレスで踊《おど》り明かす郡上《ぐじょう》おどりのクライマックス。

郡上《ぐじょう》おどりは、岐阜《ぎふ》県のほぼ中央に位置《いち》する郡上市の盆踊《ぼんおど》りです。郡上八幡《ぐじょうはちまん》城《じょう》の城下町《じょうかまち》で400年以上《いじょう》の歴史《れきし》があり、毎年30夜も開催《かいさい》される日本一の盆踊りとして有名です。おどりの会場は、一夜一か所。神社の境内《けいだい》や町内の広場、ホテルの前など毎日変《か》わります。

郡上おどりは〝見る踊り〟ではなく〝参加《さんか》する踊り〟といわれます。囃子方《はやしかた》がのるおどり屋形《やかた》を中心に、地元の人も観光客《かんこうきゃく》も輪《わ》になって踊るのが特徴《とくちょう》です。

地元では、郡上おどりに魅《み》せられて踊りに熱狂《ねっきょう》する人のことを、愛情《あいじょう》をこめて「おどり助平《すけべい》」とよんでいるよ。

お祭りの由来

一説《いっせつ》に、江戸《えど》時代初期《しょき》の郡上八幡城主《ぐじょうはちまんじょうしゅ》が領民《りょうみん》の融和《ゆうわ》を図るため、村々《むらむら》でおこなわれていた盆踊《ぼんおど》りを城下《じょうか》に集め、「お盆4日間は身分のへだてなく踊《おど》るがよい」と奨励《しょうれい》したのが起源《きげん》とされる。

1分でざっくりわかる「郡上《ぐじょう》おどり」

「郡上《ぐじょう》の夏はおどりとともに始まり、おどりとともに終わる」といわれます。
7月第2土曜日の発祥祭《はっしょうさい》の神事のあと、おどり屋形《やかた》が今町《いままち》をスタートし、おどり開始。
おどり納《おさ》めの9月第1土曜日は、笹竹提灯《ささだけちょうちん》を持っておどり屋形を見送ります。

会場 郡上八幡旧庁舎記念館《ぐじょうはちまんきゅうちょうしゃきねんかん》前広場ほか市内各所《かくしょ》

問い合わせ 郡上八幡観光協会《かんこうきょうかい》

おもな行事日程《にってい》

7月第2土曜日
18：30 **おどり発祥祭《はっしょうさい》** 旧庁舎記念館前広場
19：30～ **おどり流し** 今町《いままち》⇒新町《しんまち》
20：00～ **おどり開始** 旧庁舎記念館前広場

8月13日▶8月16日
20：00～翌朝《よくちょう》4：00または5：00
徹夜《てつや》おどり 橋本町《はしもとちょう》・新町など

9月第1土曜日
20：00～ **おどり納《おさ》め** 旧庁舎記念館前広場
23：00 **屋形《やかた》送り提灯《ちょうちん》行列**

その他の開催日《かいさいび》

20：00～22：30（土曜日23:00まで） 各《かく》おどり会場
※期間中、おどりがない日もあるので日程を確認《かくにん》のこと。

もっと知りたい！『かわさき』『春駒《はるこま》』の踊《おど》りをおぼえよう

郡上《ぐじょう》おどりの曲は10種類《しゅるい》あり、男女とも同じ振付《ふりつけ》です。「郡上のナァ～♪」で始まる『かわさき』が定番で、優雅《ゆうが》な踊《おど》りで親しまれています。次は、アップテンポな『春駒』。威勢《いせい》のよい踊りで人気です。踊り上手《じょうず》には「免許状《めんきょじょう》」が授与《じゅよ》されるので、ぜひ参加《さんか》してみよう。毎晩《まいばん》21時ころ、屋形《やかた》に課題曲《かだいきょく》が表示《ひょうじ》され、郡上おどり保存会《ほぞんかい》の人たちが「これはうまい！」という人にその場で引替証《ひきかえしょう》の木札《きふだ》をわたし、あとで免許状と交換《こうかん》してくれます。

ひと口メモ 市内八幡町《はちまんちょう》にある「郡上八幡博覧館《ぐじょうはちまんはくらんかん》」は、郡上八幡の魅力《みりょく》を「水」「歴史《れきし》」「技《わざ》」「郡上おどり」に分けてわかりやすく展示《てんじ》・紹介《しょうかい》している。また、土・日、祝日《しゅくじつ》を中心に郡上おどりの実演《じつえん》がある。

熊谷《くまがや》うちわ祭《まつり》

熊谷がいちばん熱《あつ》くなる〝関東一《かんとう》の祇園《ぎおん》〟

7月20日〜22日
埼玉県《さいたま》熊谷市《くまがや》

疫病退散《えきびょうたいさん》と五穀豊穣《ごこくほうじょう》を願《ねが》う熊谷《くまがや》市の愛宕《あたご》八坂《やさか》神社の夏祭りです。

主役は、江戸《えど》時代中期に始まった神輿《みこし》渡御《とぎょ》と、幕末《ばくまつ》から絹産業《きぬさんぎょう》で発展《はってん》した各町《かくちょう》が競《きそ》いあってつくられた山車《だし》と屋台。熊谷の山車・屋台は、舵《かじ》をとりやすい三輪式《さんりんしき》台車が特徴《とくちょう》です。

神輿は、愛宕八坂神社（本宮《ほんぐう》）を出て、お祭り広場に設置《せっち》されたお仮屋《かりや》（行宮《あんぐう》）に3日間まつられます。

山車7基《き》と屋台5基がにぎやかに熊谷祇《ぎ》園《おん》囃子《ばやし》を奏《かな》でながら町内を練《ね》り歩き、お囃《はや》子《し》の力強さを競う「叩《たた》き合《あ》い」が各所《かくしょ》でくりひろげられます。

神武天皇《じんむてんのう》の山車《だし》（第壱本町区《だいいちほんちょうく》）

江戸《えど》の名作・第《だい》弐本町区《にほんちょうく》の山車《だし》を参考に1898年に地元熊谷《くまがや》で製《せい》作《さく》された。

お祭りの由来

赤は厄除《やくよ》けの色とされ、愛宕八坂《あたごやさか》神社の夏祭りに赤飯《せきはん》がふるまわれていたが、明治《めいじ》時代に料亭《りょうてい》の主人が柿渋《かきしぶ》を塗《ぬ》った赤いうちわを配ったのが評判《ひょうばん》となり、「熊谷《くまがや》うちわ祭《まつり》」とよばれるようになった。

1分でざっくりわかる「熊谷《くまがや》うちわ祭《まつり》」

全12基の山車《だし》・屋台から勇壮《ゆうそう》にひびく熊谷祇園囃子《くまがやぎおんばやし》は、各町《かくちょう》によって間合いやテンポがちがい、バチさばきにも特徴《とくちょう》があります。3日間通して、さまざまな「叩《たた》き合《あ》い」が見どころです。夕暮《ゆうぐ》れ、提灯《ちょうちん》がともり、ライトアップされた山車・屋台も見ものです。

会場 愛宕八坂《あたごやさか》神社、お祭り広場ほか　**問い合わせ** 熊谷《くまがや》市観光 協 会《かんこうきょうかい》

おもな行事日程《にってい》

7月20日

6:30 渡御祭《とぎょさい》 愛宕八坂《あたごやさか》神社⇒お仮屋《かりや》

●途中《とちゅう》、各町の山車・屋台が迎太鼓《むかえだいこ》で神輿《みこし》を出むかえる。

19:00~20:00 初叩《はつたた》き合《あ》い 熊谷駅北口広場

●山車・屋台が横一列にならび、熊谷祇園囃子を打ち鳴らす。

7月21日

17:30~19:30 巡行祭《じゅんこうさい》 国道17号

●歩行者天国となり、山車・屋台がお仮屋へ向かう。

20:20~21:00 叩《たた》き合《あ》い 市役所前交差点《こうさてん》ほか

●山車・屋台が扇形《おうぎがた》にならび、勇壮《ゆうそう》な叩き合いがくりひろげられる。

7月22日

9:00 行宮祭《あんぐうさい》 お仮屋

●神輿を前に神事がとりおこなわれる。

19:30~21:00 曳《ひ》っ合《かわ》せ叩《たた》き合《あ》い お祭り広場

●山車・屋台がお祭り広場の四方をかこみ、最後《さいご》の叩き合いをする。

22:00 還御祭《かんぎょさい》 お仮屋⇒愛宕八坂神社

●神輿が本宮《ほんぐう》へもどり、すべての祭礼行事が終了する。

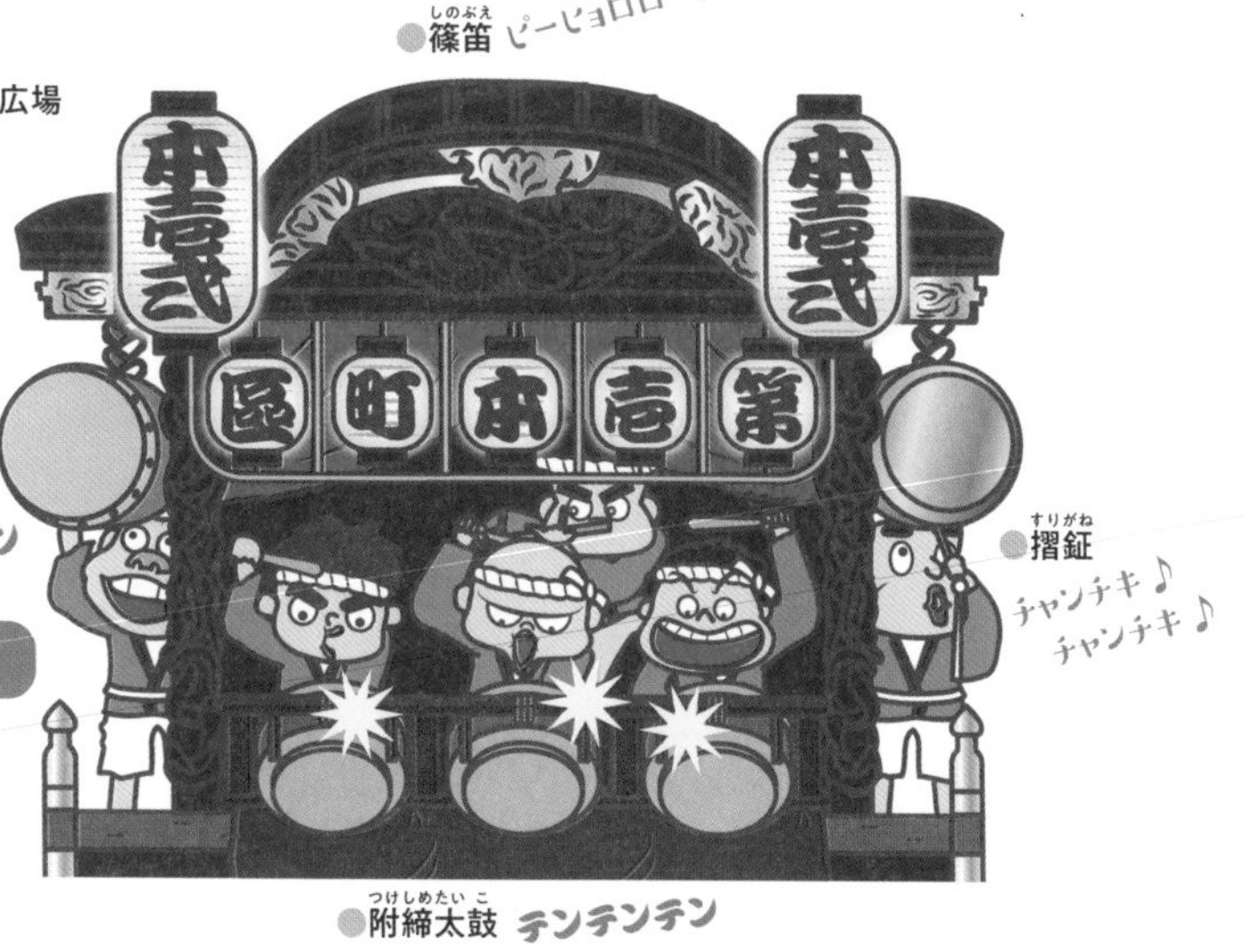

ひとロメモ お祭り期間中、愛宕八坂《あたごやさか》神社（本宮《ほんぐう》）とお祭り広場に設置《せっち》されたお仮屋《かりや》（行宮《あんぐう》）の参拝者《さんぱいしゃ》に、疫 病 除《えきびょうよ》けの御神札《おふだ》とうちわが配布《はいふ》される。また、熊谷《くまがや》うちわ 祭 限定《まつりげんてい》の御朱印《ごしゅいん》がいただける。

天《てん》神《じん》祭《まつり》

100隻《せき》もの船が大川《おおかわ》を行《ゆ》き交《か》う船渡御《ふなとぎょ》が圧巻《あっかん》！

7月24日・25日
大阪府《おおさかふ》大阪市

鉾流神事《ほこながししんじ》

宵宮《よいみや》の朝、斎船《いわいぶね》が堂島川《どうじまがわ》にこぎだし、神職《しんしょく》と神童《しんどう》が平安を願《ねが》い、菰《こも》で巻《ま》かれた神鉾《かみほこ》を流す。

天神祭《てんじんまつり》は「てんじんさい」ともよばれ、日本各地《かくち》の天満宮《てんまんぐう》に「天神さま」としてまつられる菅原道真《すがわらのみちざね》の月命日《つきめいにち》25日にあわせておこなわれています。そのなかで有名なのが、大阪《おおさか》天満宮の天神祭です。

宵宮《よいみや》の朝、神職《しんしょく》と地元の小学6年生から選《えら》ばれた神童《しんどう》が斎船《いわいぶね》から古式ゆかしく神鉾《かみほこ》を流す「鉾流神事《ほこながししんじ》」を幕開《まくあ》けに、お祭りの開催《かいさい》を知らせる催太鼓《もよおしだいこ》と獅子《しし》舞《まい》が町内をめぐります。

7月25日の本宮《ほんみや》では、天神さまを御鳳《ごほう》輦《れん》＊にのせて「陸渡御《りくとぎょ》」と「船渡御《ふなとぎょ》」がおこなわれます。最後《さいご》に川の上に打ち上がる数千発の奉納《ほうのう》花火も見ものです。

お祭りの由来

大阪天満宮《おおさかてんまんぐう》の天神祭《てんじんまつり》は、菅原道真《すがわらのみちざね》が生前に旅の無事《ぶじ》を祈願《きがん》した地に社殿《しゃでん》が建《た》てられた2年後の951年、大川から神鉾《かみほこ》を流し、流れ着いた地で夏越《なごし》の祓《はらえ》をおこなった「鉾流神事《ほこながししんじ》」が起源《きげん》とされる。

＊御鳳輦《ごほうれん》＝屋根に鳳凰《ほうおう》の飾《かざ》りがある神輿《みこし》。もとは天子《てんし》（帝王《ていおう》）の乗り物を意味した。

1分でざっくりわかる「天神祭《てんじんまつり》」

天神祭は「水の祭り」。宵宮《よいみや》から“どんどこ船《ぶね》”が太鼓《たいこ》や鉦《かね》を打ち鳴らします。本宮《ほんみや》の陸渡御《りくとぎょ》を終えた御鳳輦《ごほうれん》は奉安船《ほうあんせん》に乗り、催太鼓《もよおしだいこ》や地車囃子《だんじりばやし》が乗る供奉船《ぐぶせん》、風流人形《ふりゅうにんぎょう》をかざった御迎船《おむかえせん》、観覧者《かんらんしゃ》を乗せた奉拝船《ほうはいせん》、落語《らくご》や文楽《ぶんらく》、能《のう》などの舞台船《ぶたいせん》、約《やく》100隻《せき》がくりだします。

会場 大阪天満宮《おおさかてんまんぐう》、大川《おおかわ》(旧淀川《きゅうよどがわ》)ほか　**問い合わせ** 大阪天満宮

おもな行事日程《にってい》

7月24日

7:45 宵宮祭《よいみやさい》

8:50 鉾流神事《ほこながししんじ》

16:00〜19:30 催太鼓氏地巡行《もよおしだいこうじちじゅんこう》

- 赤頭巾《あかずきん》の若衆《わかしゅう》6人が豪快《ごうかい》に打ち鳴らす大太鼓をかついで町内をめぐる。

18:40〜21:00 水上薪能《すいじょうたきぎのう》

- OAP港に係留《けいりゅう》された能船《のうせん》の上で上演《じょうえん》される。

7月25日

13:30 本宮祭《ほんみやさい》

15:30〜 陸渡御《りくとぎょ》

- 御鳳輦《ごほうれん》のお供《とも》をする地車《だんじり》や神輿《みこし》、傘踊《かさおど》りなど総勢《そうぜい》3000人の大行列が壮観《そうかん》。

18:00〜 船渡御《ふなとぎょ》

- 奉安船《ほうあんせん》と供奉船《ぐぶせん》は天神橋から大川をのぼり、御迎船《おむかえせん》と奉拝船《ほうはいせん》は飛翔橋《ひしょうばし》からくだる。

19:30〜21:00 奉納花火《ほうのうはなび》

22:00 還御祭《かんぎょ》

子どもどんどこ船《ぶね》も
元気いっぱい！

どんどこ船《ぶね》

もっと知りたい！ 天満宮《てんまんぐう》にまつられる「天神《てんじん》さま」

平安《へいあん》時代、右大臣《うだいじん》にまで出世しながら九州の太宰府《だざいふ》に流されて無念《むねん》の死をとげた菅原道真《すがわらのみちざね》のことです。死から16年後の919年に太宰府天満宮にまつられましたが、都周辺《みやこしゅうへん》で異変《いへん》が相《あい》次《つ》いだため、947年に京都《きょうと》にも北野天満宮が創建《そうけん》されました。その後、各地《かくち》に天満宮が建《た》てられ、詩歌《しいか》や書にすぐれていた道真は「学問の神さま」として信仰《しんこう》されています。

ひとロメモ 宵宮《よいみや》の24日早朝4時、大阪天満宮《おおさかてんまんぐう》の正門が開き、天神祭《てんじんまつり》の始まりを告《つ》げる一番太鼓《いちばんだいこ》が鳴り響《ひび》くやいなや披露《ひろう》される地車囃子《だんじりばやし》と龍踊《りゅうおど》り（蛇《へび》踊り）は、知る人ぞ知る、天神祭のオープニングイベントだ。

尾張津島天王祭《おわりつしまてんのうまつり》

船の飾《かざ》りつけがガラリと変《か》わる華麗《かれい》な川祭り

宵祭《よいまつり》の巻藁船《まきわらぶね》

中心の真柱《まばしら》に12、半球状に365の提灯《ちょうちん》をつるし、1年間の月日をあらわしている。

古くは「津島牛頭天王社《つしまごずてんのうしゃ》」とよばれ、東海地方を中心に疫病《えきびょう》・厄難除《やくなんよ》けの神として信仰《しんこう》されている津島《つしま》神社の氏子《うじこ》の夏のお祭りです。

神輿渡御《みこしとぎょ》にともない、2艘《そう》の船をつないで屋台をのせた祭舟《まつりぶね》が宵祭《よいまつり》と朝祭《あさまつり》に出て天王川《てんのうがわ》公園の丸池をめぐります。

宵祭では、提灯《ちょうちん》でかざられた津島五車（旧《きゅう》津島五ケ村《ごかそん》の5隻《せき》）の巻藁船《まきわらぶね》が『津島笛』を奏《かな》でながらお旅所《たびしょ》へ向かいます。

翌朝《よくちょう》の朝祭では、旧市江村《いちえむら》（現在《げんざい》は愛《あい》西市《さいし》）の「市江車《いちえぐるま》」がくわわり、装《よそお》いを新たに6隻の車楽舟《だんじりぶね》に大きな能《のう》人形がかざられます。

無形
ユネスコ

7月第4土曜日と翌日《よくじつ》

愛知《あいち》県津島《つしま》市

お祭りの由来

①津島《つしま》の市江島《いちえじま》をおとずれたスサノオが草刈《くさか》りの子どもを見て稚児舞《ちごまい》と笛の曲を作った、②南北朝《なんぼくちょう》時代、南朝方《なんちょうがた》の津島武士《ぶし》が船遊びにことよせて北朝方《ほくちょうがた》の武士を討《う》ちとった、など諸説《しょせつ》ある。

1分でざっくりわかる「尾張《おわり》津島《つしま》天王祭《てんのうまつり》」

宵祭《よいまつり》では、たくさんの提灯《ちょうちん》でかざられた津島五車の巻藁船《まきわらぶね》が丸池をめぐり、幻想的《げんそうてき》です。
朝祭《あさまつり》では、先頭の市江車《いちえぐるま》から下帯姿《したおびすがた》の10人の若衆《わかしゅう》が布鉾《ぬのほこ》を持って池に飛びこんで
お旅所《たびしょ》まで泳ぎわたり、神輿還御《みこしかんぎょ》の前に布鉾を奉納《ほうのう》するため津島神社へ走る姿が勇壮《ゆうそう》です。

会場 津島《つしま》神社、天王川《てんのうがわ》公園　**問い合わせ** 津島市観光協会《かんこうきょうかい》

おもな行事日程例《にってれい》

土曜日

宵祭《よいまつり》（提灯祭《ちょうちんまつり》）

10：00 神輿渡御《みこしとぎょ》 ●丸池のほとりのお旅所へ向かう。

18：30 如意点火《にょいてんか》

●巻藁船の真柱《まばしら》の 12 の提灯《ちょうちん》をはじめ、順次《じゅんじ》点火していく。

19：45 迎《むか》え ●神職《しんしょく》が赤船で来る。

20：15 出船

●津島の巻藁船5隻《せき》が車河戸《くるまこうど》からお旅所へ向かい、もどる。

日曜日

朝祭《あさまつり》（車楽祭《だんじりまつり》）

8：45 迎え ●神職が赤船で来る。

9：30 出船

●市江車を先頭に６隻の車楽船《だんじりぶね》が車河戸から
お旅所へ向かい、鉾持《ほこもち》が飛びこむ。

10：30 神輿還御《かんぎょ》

●各《かく》車楽船から稚児らが上陸《じょうりく》し、お供《とも》する。

11：00 稚児《ちご》神前奏楽《そうがく》

●奉納《ほうのう》後、車楽船で車河戸へもどる。

市江車《いちえぐるま》の特徴《とくちょう》

①津島五車よりも大きい
②屋台屋根が唯一《ゆいいつ》、唐破風《からはふ》になっている
③能《のう》人形は神籤《みくじ》で毎年選《えら》ばれる
④前面に葵《あおい》の紋《もん》があり、小袖幕《こそでまく》は徳川家康《とくがわいえやす》から拝領《はいりょう》したとされる
⑤下帯姿《したおびすがた》の鉾持《ほこもち》が乗っている など

ひと口メモ 天王祭《てんのうまつり》の舞台《ぶたい》となる天王川公園の丸池は、津島《つしま》神社の前を流れていた天王川の一部。もともとは木曽《きそ》川《がわ》の支流《しりゅう》の佐屋川《さやがわ》に合流して伊勢湾《いせわん》に入り、津島は伊勢と尾張《おわり》をつなぐ湊町《みなとまち》として栄《さか》えていた。

青森《あおもり》ねぶた祭《まつり》

眠気《ねむけ》も ふきとぶ、にぎやかさ！

無形

8月2日～7日
青森《あおもり》県青森市

青森《あおもり》ねぶた 人形型《にんぎょうがた》の骨組《ほねぐみ》に紙を貼《は》って色をつけ、中に灯《あか》りをともした巨大《きょだい》な山車灯籠《だしとうろう》だよ。

「ねぶた」「ねぷた」とよばれる巨大《きょだい》な山車灯籠《だしとうろう》を曳《ひ》いて練《ね》り歩くお祭りは、青森《あおもり》県ほか東北各地《かくち》でおこなわれている夏の風物詩《ふうぶつし》。「青森《あおもり》ねぶた祭《まつり》」をはじめ、「弘前《ひろさき》ねぷたまつり」「五所川原立佞武多《ごしょがわらたちねぷた》」が有名です。地域《ちいき》によって、山車灯籠が武者人形《むしゃにんぎょう》だったり扇型《おうぎがた》だったり、お囃子《はやし》やかけ声もちがいます。

青森ねぶた祭のねぶたは毎年、ねぶた師《し》の指揮《しき》によって設計《せっけい》から完成《かんせい》まで一年近くかけてつくられます。そして、にぎやかな「ねぶた囃子《ばやし》」にあわせて乱舞《らんぶ》する「跳人《はねと》」の「ラッセラー、ラッセラー」のかけ声が特徴《とくちょう》です。

お祭りの由来 一説《いっせつ》に、昔の人はいそがしい夏に農作業をさまたげる眠気《ねむけ》は睡魔《すいま》が起こすものと考え、七夕《たなばた》に紙の人形や灯籠《とうろう》に睡魔をうつして川や海に流した。この「眠り流し」という農民《のうみん》行事が起源《きげん》とされる。

1分でざっくりわかる「青森《あおもり》ねぶた祭《まつり》」

台車をふくめて最大《さいだい》4トン、高さ5m、幅《はば》9m、奥行《おくゆき》7m！　連日《れんじつ》、約《やく》20台の大型《おおがた》ねぶたが迫力《はくりょく》と熱気《ねっき》を競《きそ》いあい、6日に「ねぶた賞《しょう》」をはじめ各賞《かくしょう》が発表されます。最後《さいご》の晩《ばん》は、ねぶた約4台が青森港新中央埠頭《ふとう》周辺《しゅうへん》を運行し、花火とともにフィナーレをかざります。

会場 青森市《あおもりし》中心街《ちゅうしんがい》

問い合わせ 青森ねぶた祭実行委員会

おもな行事日程《にってい》

- 8月2日 ▶ 8月3日　19：00〜21：00
  子どもねぶた・大型《おおがた》ねぶた運行
- 8月4日 ▶ 8月6日　18：50〜21：00
  大型ねぶた運行
- 8月7日　13：00〜15：00
  大型ねぶた運行
  18：30〜20：30
  青森花火大会・ねぶた海上運行

もっと知りたい！「跳人《はねと》」になって盛《も》りあげよう !!

跳人の正装《せいそう》を身につければ、だれでも参加《さんか》でき、衣装《いしょう》の貸出《かしだし》・着付《きつけ》をしてくれる店もたくさんあります。「ねぶた大賞」の審査《しんさ》では、「ねぶた」のすばらしさはもちろん、「跳人」「お囃子《はやし》」など総合的《そうごうてき》に判断《はんだん》されるので、“推《お》しねぶた”を跳人として応援《おうえん》できるぞ。

ひと口メモ　「ねぶた」「ねぷた」は津軽弁《つがるべん》で「眠《ねむ》たい」を意味する。もともとは漁師町《りょうしまち》の青森《あおもり》、津軽藩《つがるはん》の城下町《じょうかまち》の弘前《ひろさき》と開拓地《かいたくち》の五所川原《ごしょがわら》、なまりのちがいで地域《ちいき》の差別化《さべつか》を図る目的《もくてき》もあったようだ。

動と静をあらわす「弘前《ひろさき》ねぷたまつり」 無形

表の鏡絵《かがみえ》は勇壮《ゆうそう》な武者絵《むしゃえ》、裏《うら》の見送り絵は幽玄《ゆうげん》な美人画の「扇《おうぎ》ねぷた」が名物です。戦後《せんご》に登場し、最大《さいだい》9m。伝統《でんとう》の人形灯籠《とうろう》をふくめ、小型《こがた》ねぷたから順《じゅん》に約《やく》80台が運行され、雅《みやび》やかな笛や太鼓《たいこ》の囃子方《はやしかた》、かわいい“金魚ねぷた”を手に持つ子どもたちがつづきます。

会場 青森《あおもり》県弘前《ひろさき》市中心街《ちゅうしんがい》　**問い合わせ** 弘前ねぷたまつり運営《うんえい》委員会

おもな行事日程《にってい》

8月1日 ▶ 8月2日
19:00〜21:00 **夜間審査《しんさ》合同運行** 土手町《どてまち》コース
● 2日に「知事賞《しょう》」「市長賞」をはじめ各賞《かくしょう》が発表される。

8月3日 ▶ 8月6日
18:50〜21:00
夜間合同運行 弘前駅前コース

8月7日
10:00〜11:00 **午前合同運行** 土手町コース
17:00〜20:30 **なぬかびおくり**
● 十数台が岩木川《いわきがわ》ぞいを運行する「ねぷた流し」、ねぷたを炎《ほのお》できよめる「ねぷたおくり」がおこなわれる。

7階建《だて》ビルの高さの「五所川原立佞武多《ごしょがわらたちねぷた》」

高さ最大《さいだい》23m、重さ19トンもある巨大《きょだい》な「立佞武多」ほか、中小約《やく》15台が練《ね》り歩《ある》きます。奥津軽《おくつがる》の五所川原は明治《めいじ》時代に農林業で急速《きゅうそく》に発展《はってん》し、豪農《ごうのう》や豪商《ごうしょう》が富《とみ》の象徴《しょうちょう》として人形灯籠《とうろう》の高さを競《きそ》いました。その伝統《でんとう》を80年ぶりに復活《ふっかつ》させたお祭りです。

会場 青森《あおもり》県五所川原《ごしょがわら》市中心街《ちゅうしんがい》　**問い合わせ** 五所川原立佞武多運営《たちねぷたうんえい》委員会

お祭りの名称《めいしょう》は、
復活《ふっかつ》した1998年に
命名されたんだって！

おもな行事日程《にってい》

8月4日 ▶ 8月8日
19：00〜21：00
立佞武多《たちねぷた》・ねぷた合同運行

立佞武多《たちねぷた》

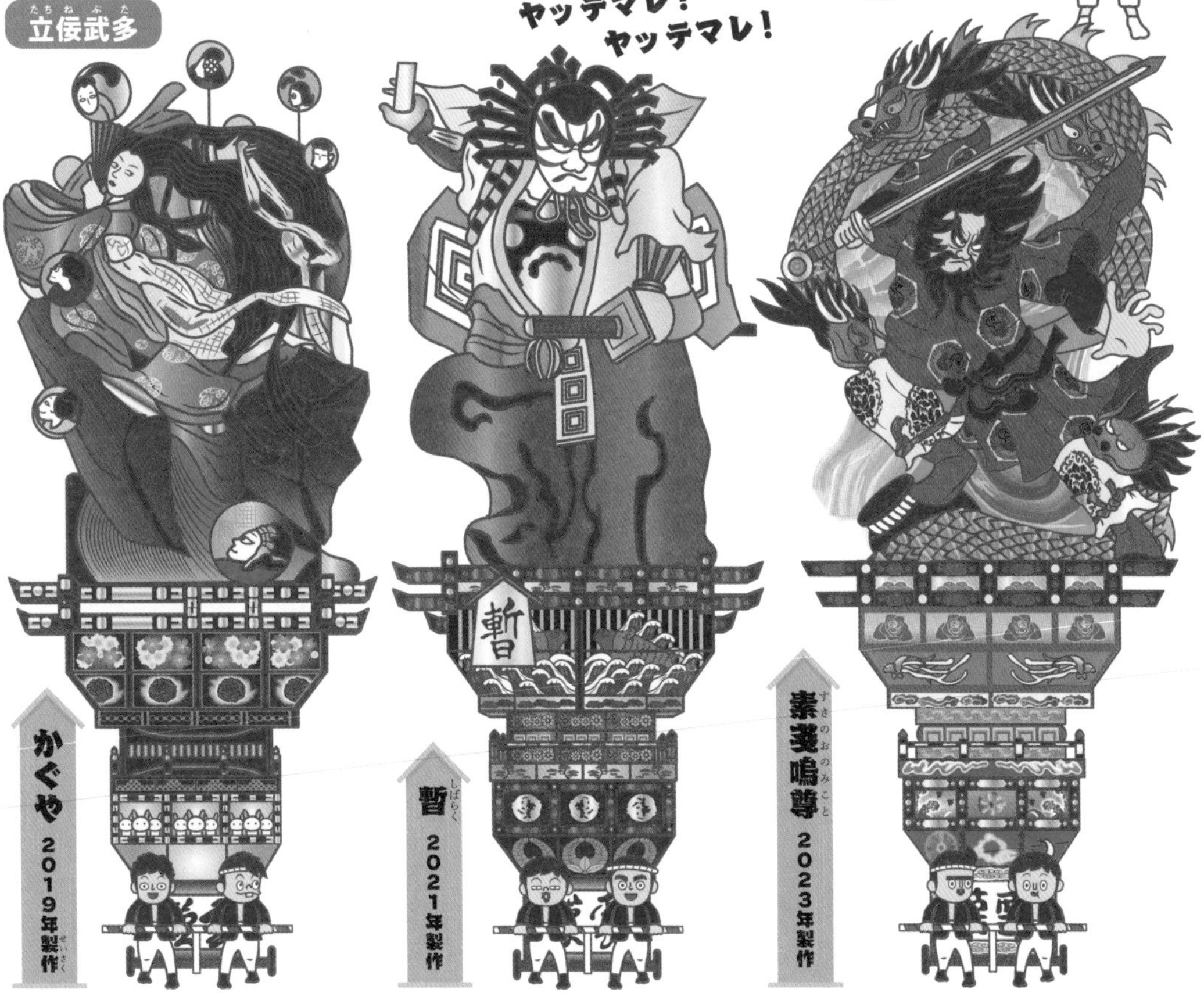

秋《あき》田《た》竿《かん》燈《とう》まつり

腰《こし》や額《ひたい》などで竿燈をあやつる妙技《みょうぎ》に息をのむ！

無形

8月3日〜6日
秋田《あきた》県秋田市

竿燈《かんとう》

豊作《ほうさく》の願《ねが》いをこめて全体は黄金色《こがねいろ》の稲穂《いなほ》、ひとつひとつの提灯《ちょうちん》は米俵《こめだわら》をあらわしている。

たくさんの提灯《ちょうちん》をつりさげた竿燈《かんとう》を「差《さ》し手《て》」とよばれる演技者《えんぎしゃ》が絶妙《ぜつみょう》なバランスで持ち上げて伝統《でんとう》の技《わざ》を披露《ひろう》するお祭りです。夏の夜空に約《やく》1万個《こ》の提灯が稲穂《いなほ》のようにゆらめきます。

差し手は、竿燈を手のひらや額《ひたい》、肩《かた》、腰《こし》など1点でささえ、提灯のロウソクの火が消えないように自在《じざい》にうつしかえていきます。最大《さいだい》の竿燈は「大若《おおわか》」とよばれ、継竹《つぎだけ》を足していくと最高《さいこう》20メートルにも達《たっ》します。会場には、お囃子《はやし》と「ドッコイショー、ドッコイショ」のかけ声がひびきわたり、子どもの差し手もいて、おとなに負けない技を見せてくれます。

お祭りの由来

青森《あおもり》ねぶた祭《まつり》などと同じく農繁期《のうはんき》の眠気《ねむけ》をはらう「眠り流し」を起源《きげん》とし、江戸《えど》時代後期に豊作《ほうさく》の願《ねが》いをこめて高張提灯《たかはりちょうちん》を竿竹《さおだけ》の先に高くつるして練《ね》り歩く竿燈《かんとう》の原型《げんけい》ができたとされる。

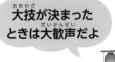

1分でざっくりわかる「秋田竿燈《あきたかんとう》まつり」

4日間毎晩《まいばん》、「流《なが》し囃子《ばやし》」とともに竿燈大通りにすべての竿燈が集まり、提灯《ちょうちん》に火ががともされると笛の合図で「本囃子《ほんばやし》」となり、夜本番の演技《えんぎ》が始まります。昼竿燈の妙技大会《みょうぎたいかい》は、差《さ》し手《て》と囃子方《はやしかた》の技術《ぎじゅつ》向上のために始められました。団体《だんたい》は5人一組で競《きそ》いあいます。

会場 秋田《あきた》市竿燈《かんとう》大通り、「エリアなかいち」ほか

問い合わせ 秋田市竿燈まつり実行委員会（秋田市観光振興課《かんこうしんこうか》内）

おもな行事日程《にってい》

◆夜本番 竿燈大通り

8月3日 ▶ 8月6日 18：50〜21：00

● 例年《れいねん》、38 の町内会をはじめ 70 をこえる団体が約《やく》 280 本の竿燈を差《さ》し上《あ》げる。

◆昼竿燈《ひるかんとう》（妙技大会《みょうぎたいかい》）

「エリアなかいち」にぎわい広場

8月4日 ▶ 8月5日 予選《よせん》 9：00 〜 15：40

8月6日 決勝《けっしょう》 9：20 〜 15：00

● 大若《おおわか》の団体規定《だんたいきてい》、花傘《はながさ》や扇子《せんす》などの小道具を使った団体自由、個人演技《こじんえんぎ》が見もの。

竿燈《かんとう》の大きさ

	長さ	重さ	提灯《ちょうちん》の数	妙技大《みょうぎたい》会
大若《おおわか》	12m	50kg	46個《こ》	団体規定《だんたいきてい》 団体自由 個人《こじん》・囃子方《はやしかた》
中若《ちゅうわか》	9m	30kg	46個	——
小若《こわか》	7m	15kg	24個	団体規定 囃子方
幼若《ようわか》	5m	5kg	24個	——

竿燈《かんとう》の5つの妙技《みょうぎ》

[技《わざ》一] 流《なが》し 次の差《さ》し手《て》が、継竹《つぎだけ》をつぎやすいようにささえる技。

[技二] 平手《ひらて》 手のひらに竿燈を高くかざして静止《せいし》させる基本技《きほんわざ》。

[技三] 額《ひたい》 竿燈を額にのせる初級技《しょきゅうわざ》。両手を大きく開き、足腰《あしこし》をグッとふんばる。

[技四] 肩《かた》 竿燈を肩にのせる中級技《ちゅうきゅうわざ》。軸足《じくあし》と竿燈を一直線にするのが美しいとされる。

[技五] 腰《こし》 竿燈を腰にのせる上級技《じょうきゅうわざ》。竿燈をささえながら扇子《せんす》をあおぐなどして盛《も》りあがる。

ひとロメモ 竿燈《かんとう》に使ったロウソクは「安産《あんざん》のお守り」とされ、短くなったものほど、お産《さん》の時間が短くなるとつたわる。竿燈大通りの街灯《がいとう》は竿燈の提灯《ちょうちん》がモチーフ。竿燈をデザインしたマンホールもあるよ。

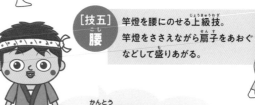

山形花笠《やまがたはながさ》まつり

暑い山形の夏に『花笠音頭《はながさおんど》』がこだまする

8月5日〜7日
山形《やまがた》県山形市

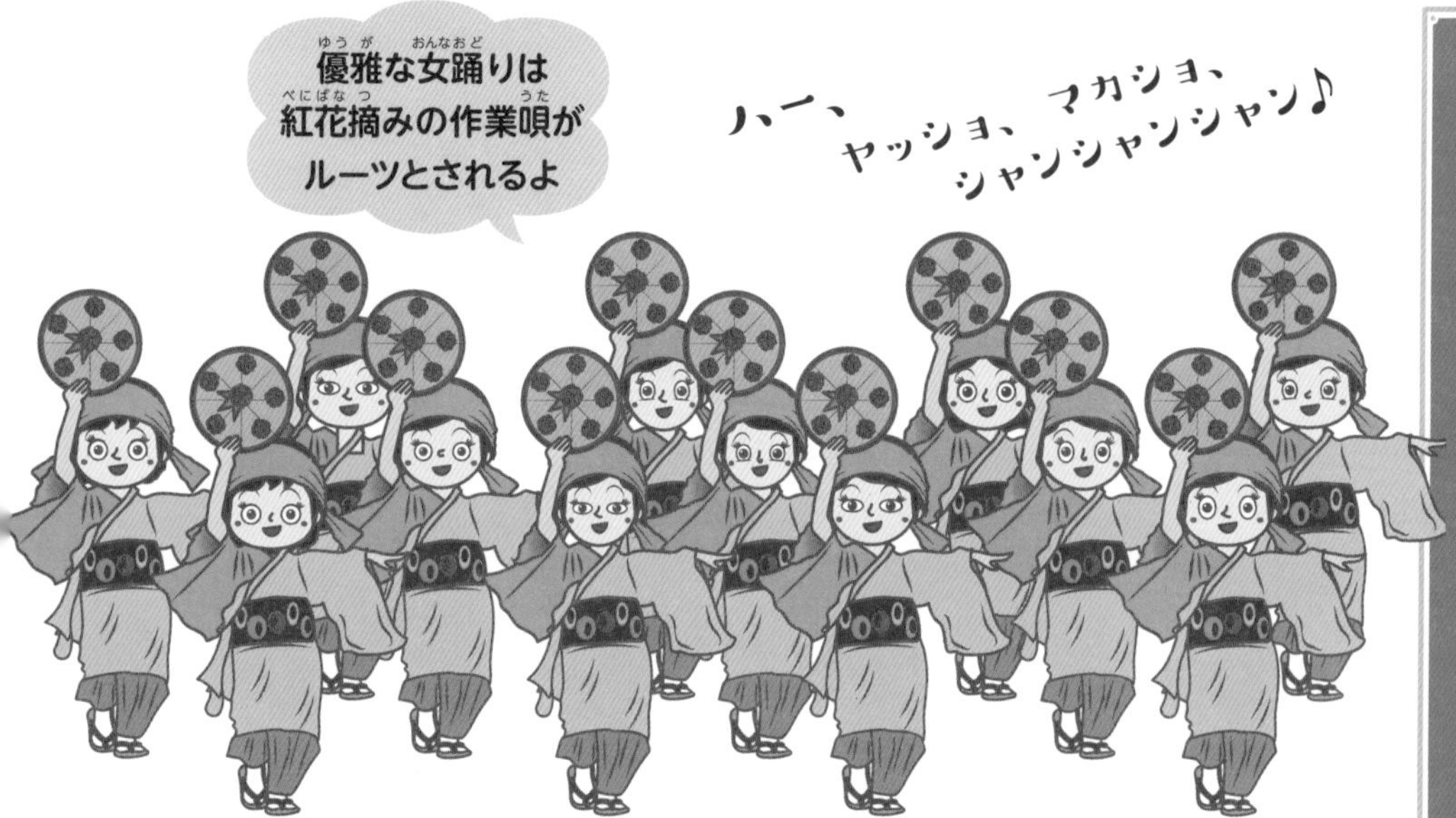

花笠《はながさ》パレード　そろいの浴衣《ゆかた》で県の花“紅花《べにばな》”をあしらった花笠を手に『花笠音頭《おんど》』にあわせて踊《おど》る。

花笠《はながさ》まつりは、山形《やまがた》県内各地《かくち》で開催《かいさい》されている夏の風物詩《ふうぶつし》です。

なかでも山形花笠まつりには、３日間のべ約《やく》１万４０００人の踊《おど》り手《て》と１００万人もの観客《かんきゃく》が集まります。

花笠を手に、あざやかな浴衣《ゆかた》でそろえた大集団《だいしゅうだん》が『花笠音頭《はながさおんど》』にあわせていっせいに踊ると一面に花笠がうねります。メインストリートには、勇壮《ゆうそう》な花笠太鼓《はながさだいこ》と「ヤッショ、マカショ」という元気なかけ声がこだまします。

また、花笠踊り発祥《はっしょう》の地といわれる尾《お》花沢《ばなざわ》市では、8月27日・28日に「おばなざわ花笠まつり」が開催されます。

お祭りの由来　蔵王《ざおう》開山1250年の1963年に、蔵王大権現《だいごんげん》をまつる神事と蔵王の観光《かんこう》PRをむすびつけて開催《かいさい》された「蔵王夏まつり」でおこなわれた「花笠音頭《はながさおんど》大パレード」が起源《きげん》。1965年から現在《げんざい》の形になった。

1分でざっくりわかる「山形花笠《やまがたはながさ》まつり」

3日間毎晩《まいばん》、蔵王大権現《ざおうだいごんげん》の山車《だし》を先頭にパレードがあります。コースは、十日町《とおかまち》のスタート地点から山形県郷土館《きょうどかん》「文翔館《ぶんしょうかん》」前の花笠アーチまで全長約《やく》800m。山形県出身の芸能人《げいのうじん》ゲストの山車も登場し、さまざまな花笠踊《おど》りが披露《ひろう》されます。

会場 山形《やまがた》市中心街《ちゅうしんがい》メインストリート　**問い合わせ** 山形県花笠協議会《はながさきょうぎかい》（山形商工会議所《しょうこうかいぎしょ》内）

おもな行事日程《にってい》

8月5日 ▶ 8月7日

◆昼の花笠《はながさ》 山形クリエイティブシティセンターQ1

13:30～ ステージ1「正調花笠踊《せいちょうはながさおど》り」
披露《ひろう》・踊り方指導《しどう》・輪踊り

15:00～ ステージ2「笠回し系《けい》花笠踊り」
披露・踊り方指導・輪踊り

◆花笠パレード

18:10～
オープニング輪踊《わおど》りコーナー 山形市役所前

18:30～
パレードスタート 十日町《とおかまち》⇒文翔館《ぶんしょうかん》前

20:30～21:45
飛《と》び入《い》りコーナー パレード最後尾《さいこうび》

●ミス花笠が持つプラカードを目印《めじるし》にストリートのどこからでも自由に参加《さんか》できる。

花笠踊《はながさおど》りの種類《しゅるい》

正調《せいちょう》花笠踊り『薫風最上川《くんぷうもがみがわ》』（女踊《おんなおど》り）
県内各地《かくち》にある花笠踊りを、1963年にだれでも手軽に踊れるように一本化した。

正調花笠踊り『蔵王暁光《ざおうぎょうこう》』（男踊《おとこおど》り）
蔵王の恵《めぐ》みに感謝《かんしゃ》し、大地をしっかりと踏《ふ》みしめて踊る。1999年にできた。

笠回《かさまわ》し系《けい》花笠踊り
笠をダイナミックに回す踊り。尾花沢《おばなざわ》地方を発祥《はっしょう》とし、5流派《りゅうは》ある。

創作《そうさく》花笠踊り
伝統《でんとう》の花笠踊りにダンスをとりいれ、団体《だんたい》ごとに趣向《しゅこう》をこらしている。

踊《おど》りによって
笠《かさ》のデザインもちがうよ！

もっと知りたい！『花笠音頭《はながさおんど》』は15番まである！

山形《やまがた》花笠まつりの『花笠音頭』には最上川《もがみがわ》ぞいの名所名物が歌いこまれています。以前《いぜん》からあった2番までにくわえ、県内外から歌詞《かし》を公募《こうぼ》して1963年に完成《かんせい》しました。

1番　そろたそろたよ　笠《かさ》おどりそろた　秋の出穂《でほ》より　まだ揃《そろ》ろた／2番　蔵王権現《ざおうごんげん》さんもお盆《ぼん》の夜は　笠のおどりに　浮《う》かれでる／3番　吾妻十湯《あずまとおゆ》　白布《しらぶ》に五色《ごしき》　うば湯なめ川　谷に湧《わ》く…………15番　西の月山《がっさん》　おがんできょうは　ひがし蔵王の　夏まつり

ひと口メモ 『花笠音頭《はながさおんど》』は土木作業で調子をあわせるための『土突《どんつ》き唄《うた》』を元唄とし、大正《たいしょう》時代に尾花沢《おばなざわ》の徳良《とくら》湖灌漑《こかんがい》用水工事の完成《かんせい》をよろこび、唄にあわせて菅笠《すげがさ》を回して踊《おど》ったのが花笠踊りの発祥《はっしょう》とされる。

仙《せん》台《だい》七《たな》夕《ばた》まつり

日本一のスケールとはなやかさをほこる

8月6日～8日
宮城《みやぎ》県仙台《せんだい》市

巨大《きょだい》な笹飾《ささかざ》り

毎年新《あら》たに手作りされる豪華絢爛《ごうかけんらん》な吹《ふ》き流《なが》しを5本1セットでかざるのが仙台七夕《せんだいたなばた》の習わし。

飾《かざ》りつけのアイデアは当日まで秘密《ひみつ》だよ

仙台七夕《せんだいたなばた》まつりは、日本各地《かくち》でおこなわれている七夕祭りのなかでもっとも盛《せい》大《だい》です。仙台市中心部から周辺地域《しゅうへんちいき》の商《しょう》店街《てんがい》まで大小3000本をこえる吹《ふ》き流《なが》しなど七夕飾《かざ》りがいろどります。

なかでも仙台駅前から中央通り、東一《ひがしいち》番丁通《ばんちょうどお》りにかけては七夕飾りの見物《けんぶつ》コースになっており、長さ10メートル以《い》上《じょう》の笹竹《ささだけ》に5メートルにもおよぶ巨大《きょだい》な吹き流しがつるされ、圧巻《あっかん》です。そのサラサラと音をたてて風にたなびくさまは涼《すず》しさを感じさせ、色とりどりの和紙で精巧《せいこう》に作られた笹飾《ささかざ》りを楽しみに200万人以上の人出《ひとで》でにぎわいます。

お祭りの由来
初代仙台藩主《しょだいせんだいはんしゅ》の伊達政宗《だてまさむね》が裁縫《さいほう》など女性《じょせい》の文化向上のために七夕《たなばた》の行事をすすめたのが始まり。明治維新《めいじいしん》後に衰退《すいたい》したが、昭和初期《しょうわしょき》に仙台商人の有志《ゆうし》がはなやかな七夕飾《かざ》りを復活《ふっかつ》させた。

1分でざっくりわかる「仙台七夕《せんだいたなばた》まつり」

8月6日朝8時ころから飾《かざ》りつけが始まり、午後には商店街《しょうてんがい》ごとに審査《しんさ》がおこなわれて金・銀・銅《どう》の各賞《かくしょう》のプレートがつけられます。一般的《いっぱんてき》には短冊《たんざく》に願《ねが》いごとを書きますが、仙台七夕では「七《なな》つ飾《かざ》り」に願いをこめてかざります。どこにあるか見つけてみてね。

会場 仙台《せんだい》市中心部および周辺《しゅうへん》の地域商店街《ちいきしょうてんがい》

問い合わせ 仙台七夕まつり協賛会《きょうさんかい》（仙台商工会議所《しょうこうかいぎしょ》内）

七《なな》つ飾《かざ》りにこめた願《ねが》い

短冊《たんざく》
学問や書道の上達《じょうたつ》

昔は糸が高価《こうか》だったため、紙を切ってかざったのが始まりとされる。

紙衣《かみごろも》
裁縫《さいほう》の上達、厄除《やくよ》け

着物、厄祓《やくばら》いの紙の人形をあらわしている。

屑籠《くずかご》
清潔《せいけつ》・倹約《けんやく》

七夕飾《たなばたかざ》りを作るときに出た紙くずを入れてかざる。

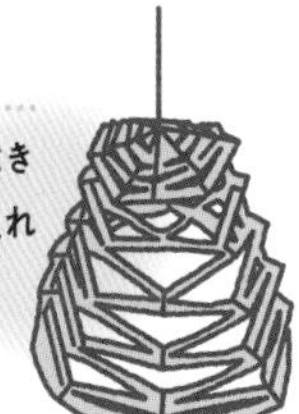

折鶴《おりづる》
家内安全・健康長寿《けんこうちょうじゅ》

鶴《つる》は長寿のシンボル。千羽鶴《せんばづる》にすることもある。

投網《とあみ》
豊漁《ほうりょう》・豊作《ほうさく》

魚を捕《と》る網《あみ》をあらわし、幸せを引き寄《よ》せる意味もある。

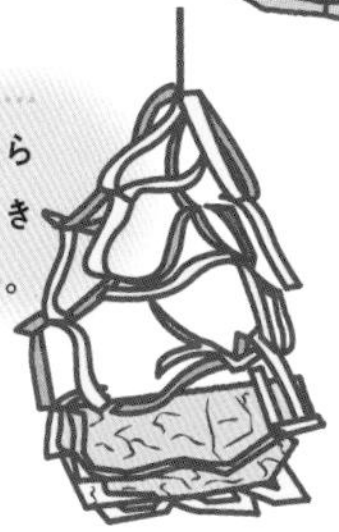

巾着《きんちゃく》
貯蓄《ちょちく》・商売繁盛《しょうばいはんじょう》

財布《さいふ》をあらわしている。

吹《ふ》き流《なが》し
機織《はたお》りや技芸《ぎげい》の上達

織姫《おりひめ》の織《お》り糸《いと》を垂《た》らした形をあらわし、薬《くす》玉《だま》は魔除《まよ》けとされる。

もっと知りたい！ 五色《ごしき》の糸や短冊《たんざく》

七夕飾《たなばたかざ》りには、青（緑）・赤・黄・白・黒（紫《むらさき》）の“五色《ごしき》”が用いられます。それは中国の陰陽五行《いんようごぎょう》説《せつ》にもとづき、自然界《しぜんかい》のすべてを構成《こうせい》する5つの元素《げんそ》「木・火・土・金・水」をあらわしています。また、5つの道徳《どうとく》「仁《じん》（おもいやり）・礼《れい》（感謝《かんしゃ》）・信《しん》（正直《しょうじき》）・義《ぎ》（正義《せいぎ》）・智《ち》（知恵《ちえ》）」にも通ずるとされています。願《ねが》いごとに色をあわせるといいんだって！

ひとロメモ　七夕《たなばた》は本来、旧暦《きゅうれき》7月7日の行事であり、新暦《しんれき》では8月中旬《ちゅうじゅん》～下旬《げじゅん》にあたる。仙台《せんだい》七夕まつりは、その季節感《きせつかん》にあわせるため、復活《ふっかつ》されたときから8月7日を中心に3日間開催《かいさい》されている。

よさこい祭《まつ》り

南国土佐《とさ》のエネルギッシュな演舞《えんぶ》に心がおどる！

8月9日～12日
高知《こうち》県高知市

ヨッチョレ、
ヨッチョレ、
ヨッチョレヨ♪
かけ声は「ちょっと、よってくださいね」という意味だよ

よさこい鳴子踊《なるこおど》り

毎年、新しいものを見せようとチームごとに工夫《くふう》をこらし、つねに進化をつづけている。

約《やく》2000チーム1万8000人の踊《おど》り子《こ》が県内外から参加《さんか》、観客《かんきゃく》は170万人をこえ、高知《こうち》市内が〝よさこい〟一色となる「よさこい祭り」。1999年から全国大会も開催《かいさい》されています。

参加のルールは、曲に『正調《せいちょう》よさこい鳴子踊《なるこおど》り』のフレーズが入っていること、両手に鳴子を持って前進しながら踊ること。あとは自由で、衣装《いしょう》も振付《ふりつけ》も工《く》夫《ふう》次第《しだい》。それぞれのチームの個性《こせい》がかがやき、観客をあきさせません。

よさこい鳴子踊りは、いまや、日本全国の運動会やお祭りにとりいれられ、世界的《てき》にも広まっています。

お祭りの由来
1954年、高知市民《こうちしみん》の健康《けんこう》と繁栄《はんえい》、商店街《しょうてんがい》の振興《しんこう》を願《ねが》い、徳島《とくしま》の阿波《あわ》おどりに負けないお祭りにしようと、高知のお座敷唄《ざしきうた》『よさこい節《ぶし》』をもとに『正調《せいちょう》よさこい鳴子踊《なるこおど》り』の曲が作られた。

1分でざっくりわかる「よさこい祭《まつ》り」

前夜祭で前年本番受賞《じゅしょう》チームが演舞《えんぶ》、鏡川河畔《かがみがわかはん》では県内最大級《さいだいきゅう》の花火大会が開催《かいさい》されます。
よさこい祭りの本番は8月10日と11日。地元チームが“よさこい大賞”を目指して競《きそ》います。
12日の全国大会には県外から約《やく》70チームが参加《さんか》、後夜祭で県内外の受賞チームが競演《きょうえん》します。

会場 高知《こうち》市内17の演舞場《えんぶじょう》・競演場《きょうえんじょう》ほか　**問い合わせ** よさこい祭振興会《まつりしんこうかい》(高知商工会議所《しょうこうかいぎしょ》内)

おもな行事日程《にってい》

8月9日
17：00 **祈願祭《きがんさい》** 中央公園
18：00～21：30 **前夜祭** 中央公園

8月10日 8月11日
10：00～22：00
よさこい祭り本番
各《かく》演舞場・競演場

8月12日
12：30 **よさこい全国大会開会式典《しきてん》**
高知城《こうちじょう》
13：15～22：00 **よさこい全国大会**
追手筋《おうてすじ》本部競演場など4会場
18：30～22：00 **後夜祭** 中央公園

よさこい祭りの六大要素《ようそ》

1 衣装《いしょう》
チームの個性《こせい》がひと目でわかる。

2 踊《おど》り
一人ひとりの笑顔《えがお》がチームのパワーになる。

3 音楽
正調《せいちょう》、ロック調、サンバ調、街中《まちじゅう》がライブ会場だ。

4 メダル
笑顔と元気みなぎる踊り子へのごほうび。

5 鳴子《なるこ》
上手《じょうず》に鳴らせて一人前《いちにんまえ》の踊《おど》り子《こ》だ。

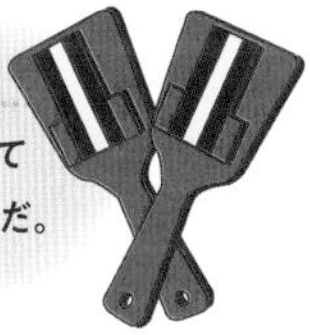

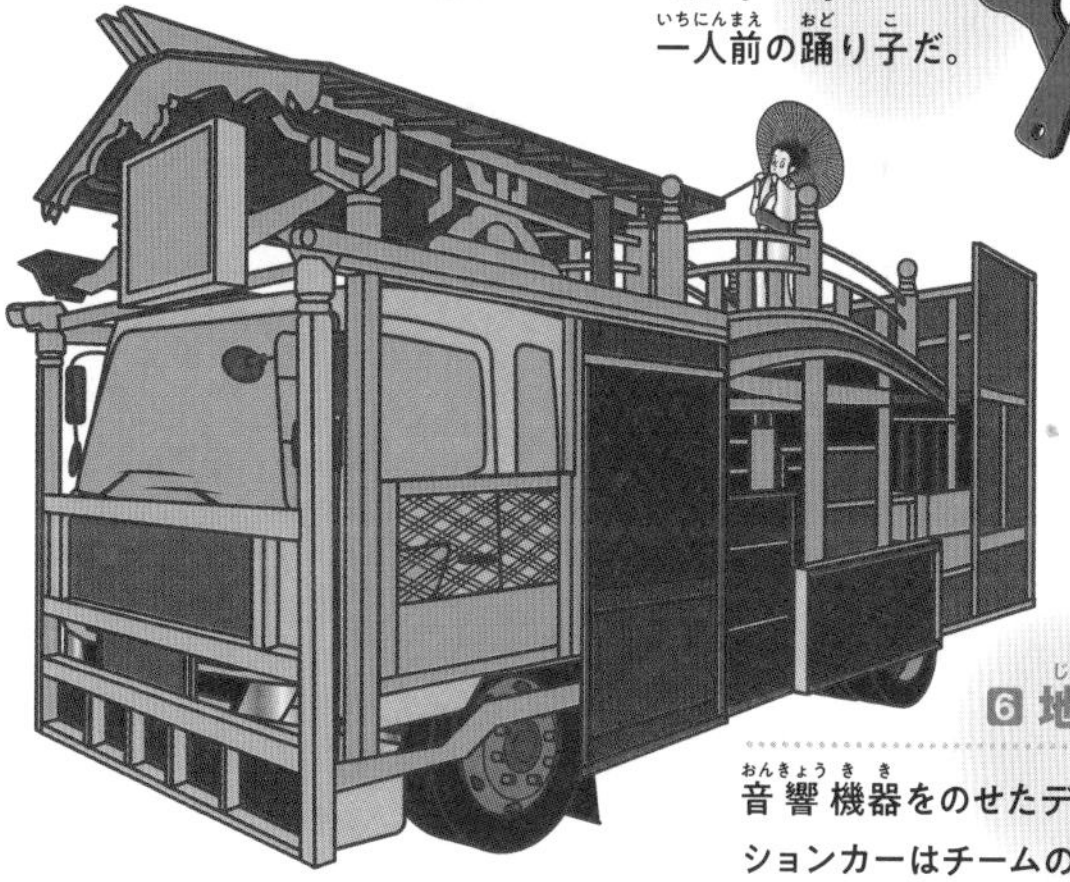

6 地方車《じかたしゃ》
音響機器《おんきょうきき》をのせたデコレーションカーはチームの顔。

もっと知りたい！ 札幌《さっぽろ》の「YOSAKOIソーラン祭り」もすごいぞ！

高知《こうち》の「よさこい祭り」をルーツに1992年に始まり、毎年6月第2日曜を最終日《さいしゅうび》とする5日間、約《やく》270チーム2万7000人が参加《さんか》、200万人が観覧《かんらん》する一大イベントに成長《せいちょう》しました。参加のルールは、鳴子《なるこ》を持って踊《おど》ることと、曲に北海道民謡《ほっかいどうみんよう》『ソーラン節《ぶし》』のフレーズを入れること。エネルギッシュな曲とステージ形式の独創的《どくそうてき》な踊りに魅《み》せられます。

ひと口メモ 踊《おど》り子《こ》が両手に持つ「鳴子《なるこ》」は、よさこい祭りの必須《ひっす》アイテム。カスタネットのようにカチカチ鳴らしてリズムをとる楽器《がっき》だが、もともとは田畑の作物を食う鳥を追いはらうための道具だった。

阿《あ》波《わ》おどり

飛《と》び入《い》り参《さん》加《か》がメチャ楽しい！

8月12日〜15日
徳島《とくしま》県徳島市

女法被踊り《おんなはっぴおどり》

男踊りだが、女性《じょせい》や子どもにも人気。男女混合《こんごう》や女性だけで構成《こうせい》している連《れん》もあるよ。

阿《あ》波《わ》おどりといえば、「踊《おど》る阿呆《あほう》に 見る阿呆 同じ阿呆なら踊らにゃ そんそん〜♪」というフレーズが有名だね。

全国に広まった阿波おどりの発祥《はっしょう》地《ち》は「阿波国《あわのくに》・徳島《とくしま》県」。徳島市をはじめ、県内各《かく》地《ち》でおこなわれています。

「連《れん》」とよばれる集団《しゅうだん》がそろいの衣装《いしょう》で2拍《びょう》子《し》のお囃《はや》子《し》のリズムにのって、それぞれ特徴《とくちょう》ある踊《おど》りを披露《ひろう》します。

徳島の阿波おどりは期間中、連の数大小1000組、踊り手10万人にものぼり、全国から100万人の観客《かんきゃく》がやってきます。飛《と》び入《い》り参《さん》加《か》できる連もあるので、本場で〝踊る阿呆〟になっちゃおう！

お祭りの由来

①鎌倉《かまくら》時代の念仏踊《ねんぶつおど》りからつづく盆踊《ぼんおど》り説《せつ》、②守護所《しゅごしょ》だった勝瑞城《しょうずいじょう》でおこなわれた風流踊《ふりゅうおど》り説、③徳島藩祖《とくしまはんそ》の蜂須賀家政《はちすかいえまさ》が徳島城《とくしまじょう》の完成祝《かんせいいわ》いに町民《ちょうみん》に踊りをゆるしたのが始まりなど諸説《しょせつ》ある。

1分でざっくりわかる「阿波《あわ》おどり」

8月11日に前夜祭と選抜《せんばつ》阿波おどり大会があり、12日～15日の夜が阿波おどり本番です。本場の踊《おど》りをじっくり観賞《かんしょう》したいなら有料演舞場《えんぶじょう》がおすすめ。無料《むりょう》演舞場やおどり広場もあり、飛《と》び入《い》り参加《さんか》したいなら「にわか連《れん》」へ。当日受付《うけつけ》、服装《ふくそう》も自由です。

会場 徳島《とくしま》市中心街《ちゅうしんがい》　**問い合わせ** 阿波おどり未来《みらい》へつなぐ実行委員会（徳島市にぎわい交流《こうりゅう》課内）

踊《おど》り方《かた》

基本《きほん》は、両手をあげて、右手と右足・左手と左足をいっしょに出して前進する。
女踊りは上品に色っぽく。足を出すときに腰《こし》をまわし、かかとがおしりにつくくらいにしっかり足をけりあげ、手の動きはなめらかに。
男踊りは力強く。手ぶり提灯《ちょうちん》やうちわを持ち、がに股《また》で腰をしっかり落とし、前傾姿勢《ぜんけいしせい》になって腰でリズムをとりながら踊る。

もっと知りたい！ 阿波《あわ》おどりを引き立てる鳴り物と囃子《はやし》ことば

阿波おどり特有《とくゆう》の2拍子《びょうし》のお囃子《はやし》を「ぞめき」といいます。「騒《さわ》がしい」という意味で、笛、三味線《しゃみせん》、大太鼓《おおだいこ》、締太鼓《しめだいこ》、大鼓《おおかわ》（張扇《はりせん》でたたく鼓《つづみ》）、竹などの鳴り物が使われます。テンポが速い・遅《おそ》い、囃子ことばなど、連《れん》によってさまざまです。

ひと口メモ 「阿波《あわ》おどり会館」では、いつでも阿波おどりを楽しめ、阿波おどりのことなら何でもわかる。阿波おどりホールで毎日、昼は会館専属連《せんぞくれん》、夜は有名連の公演《こうえん》があり、いっしょに踊《おど》ることもできる。

鳥《とっ》取《とり》しゃんしゃん祭《まつり》

鈴《すず》をひびかせ、カラフルな傘《かさ》の花が咲《さ》く

8月13日・14日
鳥取《とっとり》県鳥取市

しゃんしゃん
しゃんしゃん
しゃんしゃん
しゃんしゃん
鈴《すず》の音色《ねいろ》が心地《ここち》いい

しゃんしゃん傘踊《かさおど》り

2014年に1688人による“世界最大《さいだい》の傘踊り”としてギネス世界記録に認定《にんてい》された。

例年《れいねん》4000人をこえる踊《おど》り子《こ》がカラフルな「しゃんしゃん傘《がさ》」を持って、いっせいに踊ります。もとになったのは、鳥《とっ》取《とり》県東部につたわる伝統芸能《でんとうげいのう》の「因幡《いなば》の傘踊《かさおど》り」です。江戸《えど》時代に雨乞《あまご》いを祈願《きがん》して三日三晩《みっかみばん》、被笠《かぶりがさ》をふりまわして踊り、命を落とした老農夫《ろうのうふ》を供養《くよう》するための踊りが起源《きげん》とされます。

しゃんしゃん傘にはたくさんの鈴《すず》がつけられていて、傘をふると鈴が「しゃんしゃん」と鳴ります。2006年には傘より手軽な楽器《がっき》として「すずっこ」が考《こう》案《あん》され、「すずっこ踊り」が誕生《たんじょう》し、お祭りがさらににぎやかになりました。

お祭りの由来

1961年に商工業の発展《はってん》を目的《もくてき》に地元の 聖《ひじり》 神社と大森神社の例祭《れいさい》にあわせて「鳥取祭《とっとりまつり》」が始まり、1965年に伝統芸能《でんとうげいのう》の「因幡《いなば》の傘踊《かさおど》り」をアレンジして市民《しみん》だれもが参加《さんか》できる踊りがつくられた。

1分でざっくりわかる「鳥取《とっとり》しゃんしゃん祭《まつり》」

前夜祭では自由な振付《ふりつけ》の「すずっこ踊《おど》り」を中心に、お祭り気分が一気に盛《も》りあがります。
一斉傘踊《いっせいかさおど》りでは、最初《さいしょ》にできた『きなんせ節《ぶし》』、1970年からの『鳥取しゃんしゃん傘踊り』のほか、
『平成《へいせい》鳥取音頭《おんど》』『しゃんしゃんしゃんぐりら』が踊られます。

会場 鳥取《とっとり》市中心街《ちゅうしんがい》　**問い合わせ** 鳥取しゃんしゃん祭振興会《しんこうかい》

おもな行事日程《にってい》

8月13日
18：00～21：00 前夜祭 鳥取駅前風紋《ふうもん》広場
● 日中には、駅前「バード・ハット」でファミリー縁日《えんにち》を開催《かいさい》。

8月14日
18：30～21：00 一斉傘踊《いっせいかさおど》り 若桜街道《わかさかいどう》⇒智頭《ちず》街道ほか
● 智頭街道「きなんせ広場」では、キッチンカーマルシェ、ステージイベントを開催。

すずっこ

すずっこ踊《おど》りに使う楽器《がっき》。しゃもじのような板に6つの鈴《すず》がついていて、スナップをきかせてふると軽《かろ》やかな音が鳴るよ。

しゃんしゃん傘《がさ》

竹の骨組《ほねぐ》みに和紙を張《は》って色を塗《ぬ》り、鈴《すず》や金銀の短冊《たんざく》、てっぺんに雨乞《あまご》い祈《き》願《がん》の白い和紙がついている。和紙の色には意味がこめられているよ。

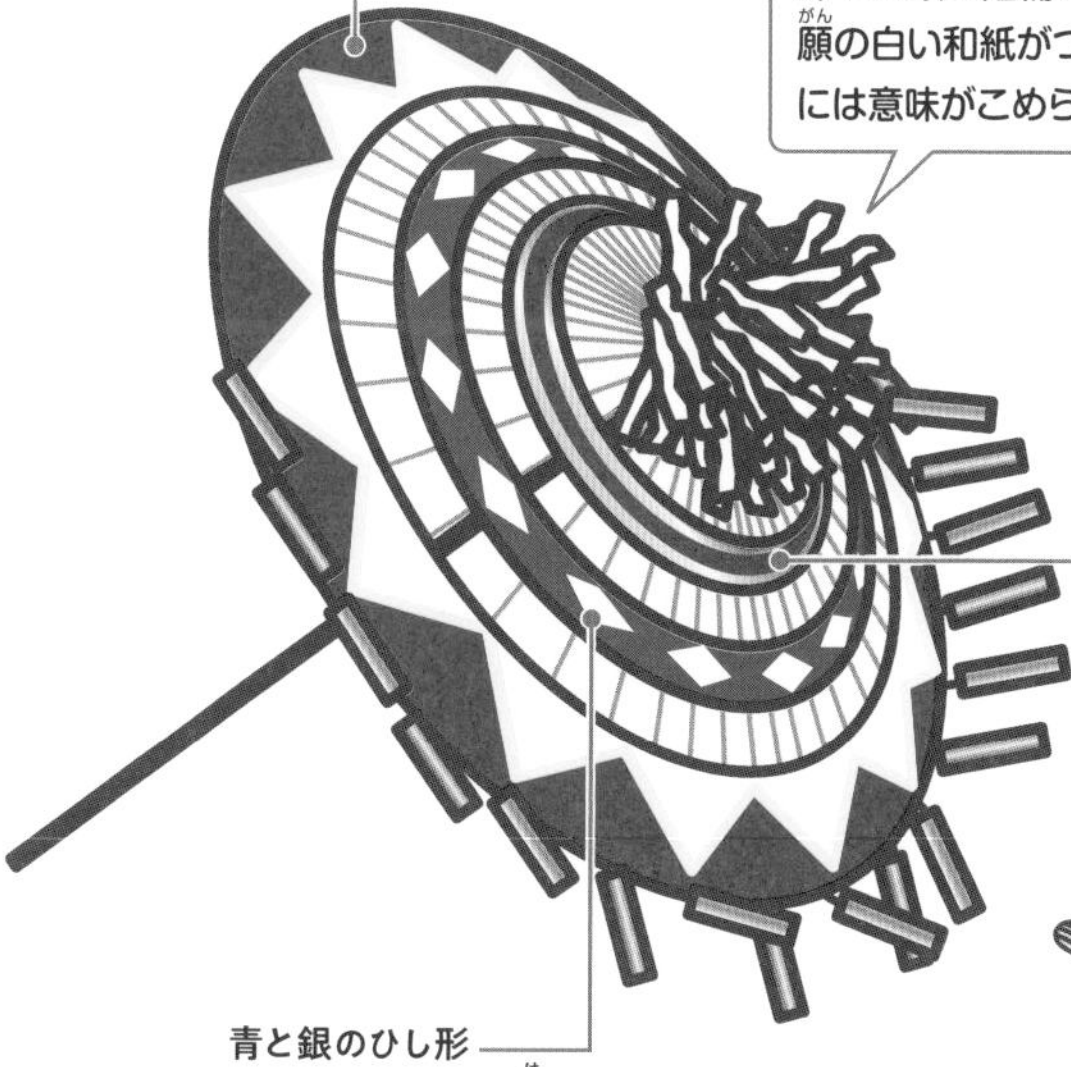
外側の赤と白の帯《おび》
砂丘《さきゅう》をあらわす。
中心の赤と金の輪《わ》
にぎわいと傘踊《かさおど》りの
はなやかさがひとつの輪
となることをあらわす。
青と銀のひし形
日本海に魚が飛び跳《は》ねている様子をあらわす。

傘《かさ》は、ひとつずつ
手作りだよ！

ひとロメモ 「しゃんしゃん祭《まつり》」の名称《めいしょう》は1964年に公募《こうぼ》して決められた。鳥取《とっとり》駅前市街地《しがいち》に温泉《おんせん》が「しゃんしゃん」と湧《わ》いていること、お祭りの傘《かさ》につけた鈴《すず》が「しゃんしゃん」と鳴ることに由来している。

山鹿《やまが》灯籠《とうろう》まつり

妖艶《ようえん》に闇夜《やみよ》にゆらめく千人灯籠踊《おど》り

奉納灯籠《ほうのうとうろう》の舞《まい》 大宮《おおみや》神社の境内《けいだい》で、和紙で作られた金灯籠《かなとうろう》を頭にのせた女性《じょせい》が優雅《ゆうが》に舞《ま》い踊《おど》る。

8月15日・16日
熊本《くまもと》県山鹿《やまが》市

頭に金銀の金灯籠《かなとうろう》をのせた女性《じょせい》たちが優雅《ゆうが》に踊《おど》る「山鹿《やまが》灯籠まつり」を見るため、熊本《くまもと》県北部の人口約《やく》5万人の山鹿市に13万人もがおとずれます。

お祭りの中心は、山鹿温泉郷《おんせんごう》の大宮《おおみや》神社に古代からつたわる神事です。15日の朝、灯籠師《とうろうし》によって作られた奉納《ほうのう》灯籠が各《かく》町内にかざられ、夜には神社で「奉納灯籠の舞《まい》」がおこなわれます。

そして16日の夜の「千人灯籠踊り」が終わると、若衆《わかしゅう》が奉納灯籠を神輿《みこし》にのせて「ハーイ、灯籠」のかけ声とともに神社へかついでいき、来年のお祭りまで燈《とう》籠殿《ろうでん》に展示《てんじ》されます。

お祭りの由来

九州平定の日本神話で知られる景行天皇《けいこうてんのう》が菊池川《きくちがわ》の深い霧《きり》に進路をはばまれたとき、山鹿《やまが》の里人《さとびと》が松明《たいまつ》をかかげてむかえた。以来《いらい》、大宮《おおみや》神社に景行天皇をまつり、松明を献上《けんじょう》したのが始まり。

1分でざっくりわかる「山鹿灯籠《やまがとうろう》まつり」

8月15日と16日の夜、山鹿市内外の団体《だんたい》や高校生による灯籠踊《とうろうおど》りがおこなわれます。最後《さいご》は、勇壮《ゆうそう》な山鹿太鼓《やまがだいこ》がお祭りを盛《も》りあげ、「千人灯籠踊《せんにんとうろうおど》り」の“よへほ節”の調べにあわせて、櫓《やぐら》を中心に幾重《いくえ》にもなった灯《あか》りの輪《わ》がゆらめき、幻想的《げんそうてき》です。

会場 大宮《おおみや》神社、山鹿《やまが》小学校ほか　**問い合わせ** 山鹿灯籠まつり実行委員会（山鹿市観光課《かんこうか》内）

おもな行事日程《にってい》

8月15日

18：20〜22：30 **灯籠踊《とうろうおど》り** おまつり広場

19：00〜19：30 **「灯《あかり》」奉納行列《ほうのうぎょうれつ》** 菊池川河畔《きくちがわかはん》⇒大宮神社

19：45〜20：00 **奉納灯籠の舞《まい》** 大宮神社

8月16日

18：20〜22：30 **灯籠踊り** おまつり広場

19：00〜20：00 **子ども灯籠踊り・山鹿太鼓《やまがだいこ》** 山鹿小学校

20：00〜21：00 **千人灯籠踊《せんにんとうろうおど》り** 山鹿小学校

もっと知りたい！ 山鹿《やまが》の民謡《みんよう》“よへほ節《ぶし》”

“よへほ”とは、肥後弁《ひごべん》で「お酒や踊《おど》りにお酔《よ》いよ、ほら」という意味。明治《めいじ》時代からお座敷《ざしき》唄《うた》として歌われていたようです。「主《ぬし》は山鹿の骨《ほね》なし灯籠《とうろう》 よへほ よへほ♪ 骨もなけれど肉もなし よへほ よへほ♪」の歌詞《かし》は、詩人の野口雨情《のぐちうじょう》によって1933年に作られました。

ひと口メモ 山鹿灯籠《やまがとうろう》は、木や金具をいっさい使わずに和紙と糊《のり》だけで組みあげる国の伝統的工芸品《でんとうてきこうげいひん》。頭にのせる金灯籠《かなとうろう》のほか、建物《たてもの》をかたどった宮造《みやつくり》灯籠などが室町《むろまち》時代から大宮《おおみや》神社に奉納《ほうのう》されている。

沖縄全島《おきなわぜんとう》エイサーまつり

チムドンドンする勇《いさ》ましい盆踊《ぼんおど》り

旧盆《きゅうぼん》明けの
金・土・日曜日
沖縄《おきなわ》県沖縄市

イーヤーサーサー！
ハーイーヤ！
パーランクーという
片面太鼓《かためんだいこ》も使われるよ

エイサー太鼓《だいこ》

飛《と》び跳《は》ねながら一糸《いっし》みだれぬ動きで大太鼓《ウフデークー》や締太鼓《シメデークー》をたたく姿《すがた》は、エイサーの花形。

沖縄《おきなわ》本島中部に位置《いち》する沖縄市に各地《かくち》からエイサー団体《だんたい》が集まり、それぞれのエイサー踊《おど》りを披露《ひろう》する沖縄県最大《さいだい》のエイサー祭りです。エイサー踊りの始まりは約《やく》400年前に浄土宗《じょうどしゅう》の僧《そう》がつたえた念仏踊《ねんぶつおど》りと考えられており、沖縄の島々《しまじま》各地で受けつがれてきました。

地元沖縄市をはじめ県内外から選抜《せんばつ》されたエイサー団体が、三線《さんしん》や唄《うた》にあわせて太鼓《たいこ》をたたき、勇《いさ》ましく地面をふみしめて踊る様子は迫力満点《はくりょくまんてん》。本場のエイサーを間近で見ると心がワクワクします。その気持ちを沖縄《ウチナー》ことばで「チムドンドンする」というよ！

お祭りの由来

沖縄《おきなわ》全島エイサーまつりの起源《きげん》は、1956年にコザ市ができたときに開催《かいさい》された「全島エイサーコンクール」。コザ市が美里村《みさとそん》と合併《がっぺい》して1974年に沖縄市となり、2007年に「エイサーのまち」を宣言《せんげん》。

1分でざっくりわかる「沖縄全島《おきなわぜんとう》エイサーまつり」

最高《さいこう》に盛《も》りあがるのは土・日のフィナーレ。各地《かくち》のエイサーを堪能《たんのう》したのち、沖縄のお祝《いわ》いのときの「カチャーシー」とよばれる手踊《ておど》りを演者《えんじゃ》・観客《かんきゃく》全員で踊り、会場が一体となります。そして、レーザーショー・打ち上げ花火もあります。

会場 コザ運動公園、胡屋《ごや》十字路周辺《しゅうへん》

問い合わせ 沖縄全島《ぜんとう》エイサーまつり実行委員会（沖縄市経済《けいざい》文化部文化観光課《かんこうか》内）

おもな行事日程《にってい》

金曜日 18：30～21：00
道《みち》ジュネー 胡屋十字路周辺

土曜日 15：00～21：00
沖縄《おきなわ》市青年まつり
コザ運動公園陸上競技場《りくじょうきょうぎじょう》

日曜日 15：00～21：00
全島エイサー大会
コザ運動公園陸上競技場

回沖縄全島エイサーまつり
イーヤーサーサー
ヒューヒュー
ヒューヒュー

両手を頭上でかきまわすようにふれば、自然と体が動くよ！

もっと知りたい！ エイサーに欠《か》かせない“京太郎《チョンダラー》”

エイサー隊《たい》は、団体名《だんたいめい》の旗《はた》を持つ「旗頭《はたがしら》」、三線《さんしん》と唄《うた》を担当《たんとう》する「地《ジ》揺《ウテー》」、太鼓《たいこ》打ち、手踊《ておど》り、年長者や子どもがつとめる「京太郎《チョンダラー》」で構《こう》成《せい》されています。京太郎は、江戸《えど》時代以前《いぜん》に京都《きょうと》の祝福芸《しゅくふくげい》がつたわったものとされ、顔を白く塗《ぬ》り、滑稽《こっけい》な踊りでエイサーを盛《も》りあげます。

ひと口メモ 沖縄《おきなわ》のお盆《ぼん》は旧暦《きゅうれき》7月13日～15日。その最終日《さいしゅうび》に祖先《そせん》の霊《れい》を見送るため、集落の青年たちが連《つら》なって踊《おど》りながら歩く「道《みち》ジュネー」が本来のエイサーで、無病息災《むびょうそくさい》や家内安全、繁栄《はんえい》を祈《いの》る意味がある。

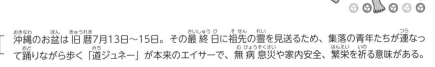

吉田《よしだ》の火《ひ》祭《まつ》り

火をたいて火をしずめるお祭り

無形

8月26日・27日

山梨県《やまなし》

富士吉田市《ふじよしだ》

富士《ふじ》みちの大松明《おおたいまつ》 上吉田《かみよしだ》の表通りぞいに、高さ約《やく》3m、下部直径《ちょっけい》約1mの大松明が80本ほど立てられる。

吉田《よしだ》の火祭りは、山梨側《やまなしがわ》の吉田口《よしだぐち》登山道の起点《きてん》である北口本宮《きたぐちほんぐう》冨士《ふじ》浅間神社《せんげんじんじゃ》と、その境内《けいだい》にある諏訪《すわ》神社の大祭《たいさい》で、「鎮《ちん》火祭《かさい》」ともよばれます。8月26日は、7月1日の「山開き」から登山でにぎわった富士山《ふじさん》にお別れをつげる「山じまい」の日。登山者の安全に感謝《かんしゃ》し、富士山が噴火《ふんか》しないように祈《いの》ります。

26日に2基《き》の神輿《みこし》が参道《さんどう》をくだり、氏《うじ》子《こ》町内に無数《むすう》の松明《たいまつ》がたかれます。27日には神輿還御《かんぎょ》のあとに〝すすきの玉串《たまぐし》〟を持った氏子らがつづき、境内の「高天《たかまが》原《はら》」とよばれる場所をまわって子授《こさず》け・安産《あんざん》、無病息災《むびょうそくさい》を祈願《きがん》します。

お祭りの由来 全国の浅間《せんげん》神社にまつられる富士山《ふじさん》の女神《めがみ》コノハナサクヤヒメが猛火《もうか》の産屋《うぶや》で3人の子を産《う》んだという日本神話にもとづく。松明《たいまつ》の火《ひ》の粉《こ》で火事になったことはなく、消《け》し炭《すみ》は火防《かぼう》のお守りとされる。

1分でざっくりわかる「吉田《よしだ》の火祭《ひまつ》り」

信仰《しんこう》の山として世界遺産《いさん》に登録《とうろく》された「富士山《ふじさん》」。8月26日、２基《き》の神輿《みこし》とともに蛇神《へびがみ》（龍神《りゅうじん》）が上吉田《かみよしだ》の町にくだるとされ、夜には大松明《おおたいまつ》がたかれ、富士山頂《さんちょう》まで火の道がつづきます。27日夜の高天原《たかまがはら》での神事は「すすき祭り」ともよばれ、秋の到来《とうらい》をつげるお祭りです。

会場 北口本宮富士浅間神社《きたぐちほんぐうふじせんげんじんじゃ》、諏訪《すわ》神社、富士吉田《ふじよしだ》市中心街《ちゅうしんがい》　**問い合わせ** 富士吉田観光協会《かんこうきょうかい》

おもな行事日程《にってい》

8月26日

15:00 **本殿祭《ほんでんさい》・諏訪神社祭《すわじんじゃさい》** 浅間神社本殿

16:00 **御動座祭《ごどうざさい》**

●浅間神社の荒魂《あらみたま》を御山神輿《おやまみこし》に、浅間神社と諏訪神社の神霊《しんれい》を明神《みょうじん》神輿にうつし、諏訪神社へ。

16:45 **発輿祭《はっよさい》・神輿渡御《みこしとぎょ》**

諏訪神社⇒高天原《たかまがはら》⇒お旅所《たびしょ》（上吉田コミュニティセンター）

18:30 **お旅所着輿祭《ちゃくよさい》・大松明《おおたいまつ》点火** お旅所、氏子《うじこ》町内

19:00～21:30 **富士太々神楽奉納《ふじだいだいかぐらほうのう》** お旅所神楽殿《かぐらでん》

8月27日

14:00 **お旅所発輿祭** お旅所⇒氏子町内⇒金鳥居

15:00 **金鳥居祭《かなとりいさい》** 金鳥居前

16:30 **神輿還御《かんぎょ》** ●“すすきの玉串《たまぐし》”を持った氏子らがつづく。

18:30 **御鞍石祭《おみくらいしさい》・富士太々神楽奉納《ふじだいだいかぐらほうのう》**

浅間神社境内《けいだい》の諏訪神社旧跡《きゅうせき》、神楽殿

19:00 **高天原祭《たかまがはらさい》（すすき祭り）**

●明神神輿が高天原を７周まわり、3 周めに御山神輿と氏子らがくわわる。

19:15 **還幸祭《かんこうさい》** 諏訪神社、浅間神社

もっと知りたい！ “明神《みょうじん》さん”を追いぬけない“お山さん”

明神神輿《みょうじんみこし》は「明神さん」、御山《おやま》神輿は富士山《ふじさん》の形をした赤漆塗《あかうるしぬ》りの御影《みかげ》で「お山さん」とよばれます。上吉田《かみよしだ》の産土神《うぶすながみ》である明神さんが前を行き、お山さんは絶対《ぜったい》に追いぬいてはならないとされ、途中《とちゅう》休むときにはお山さんをドスンと地面に3回落とします。これは、荒《あら》ぶる富士をしずめるためといわれています。

ひと口メモ 北口本宮富士浅間神社《きたぐちほんぐうふじせんげんじんじゃ》はヤマトタケルが富士山《ふじさん》の遙拝所《ようはいじょ》としてまつり、奈良《なら》時代781年の富士山噴火《ふんか》後、もともと諏訪《すわ》神社があった場所に富士山の裏鬼門《うらきもん》を守る神社として社殿《しゃでん》が建《た》てられた。

友だちに教えたくなる

お祭り豆知識《まめちしき》③

見る人を魅了《みりょう》する「西馬音内《にしもない》盆踊《ぼんおど》り」

無形　ユネスコ

秋田《あきた》県羽後町《うごまち》で8月16日～18日におこなわれ、徳島《とくしま》県の「阿波《あわ》おどり」、岐阜《ぎふ》県の「郡上《ぐじょう》おどり」にならぶ“三大盆踊り”にかぞえられています。

古くからの豊作祈願《ほうさくきがん》の踊りと、江戸《えど》時代の1601年に滅亡《めつぼう》した西馬音内城主《じょうしゅ》、小野寺氏《おのでらし》の鎮《ちん》魂《こん》のための踊りがあわさったとされ、「亡者《もうじゃ》踊り」ともいわれます。

秋田県南部の伝統技術《でんとうぎじゅつ》である藍染《あいぞめ》の浴衣《ゆかた》に「彦三頭巾《ひこさずきん》」とよばれるミステリアスな黒頭巾をかぶるのは少女たち、絹布《けんぷ》の端布《はぎれ》をぬいあわせた「端縫《はぬ》い衣装《いしょう》」に編笠《あみがさ》をかぶるのはおとなの女性《じょせい》たちです。彦三頭巾は亡者を意味し、お盆の精霊《しょうりょう》とともに踊る供養《くよう》踊りの面影《おもかげ》を今につたえています。端縫い衣装は、図柄《ずがら》や配色にこだわってくつられ、「踊りが上手《じょうず》になった」と周囲《しゅうい》からみとめられて初《はじ》めて着ることをゆるされる格式《かくしき》の高いものです。

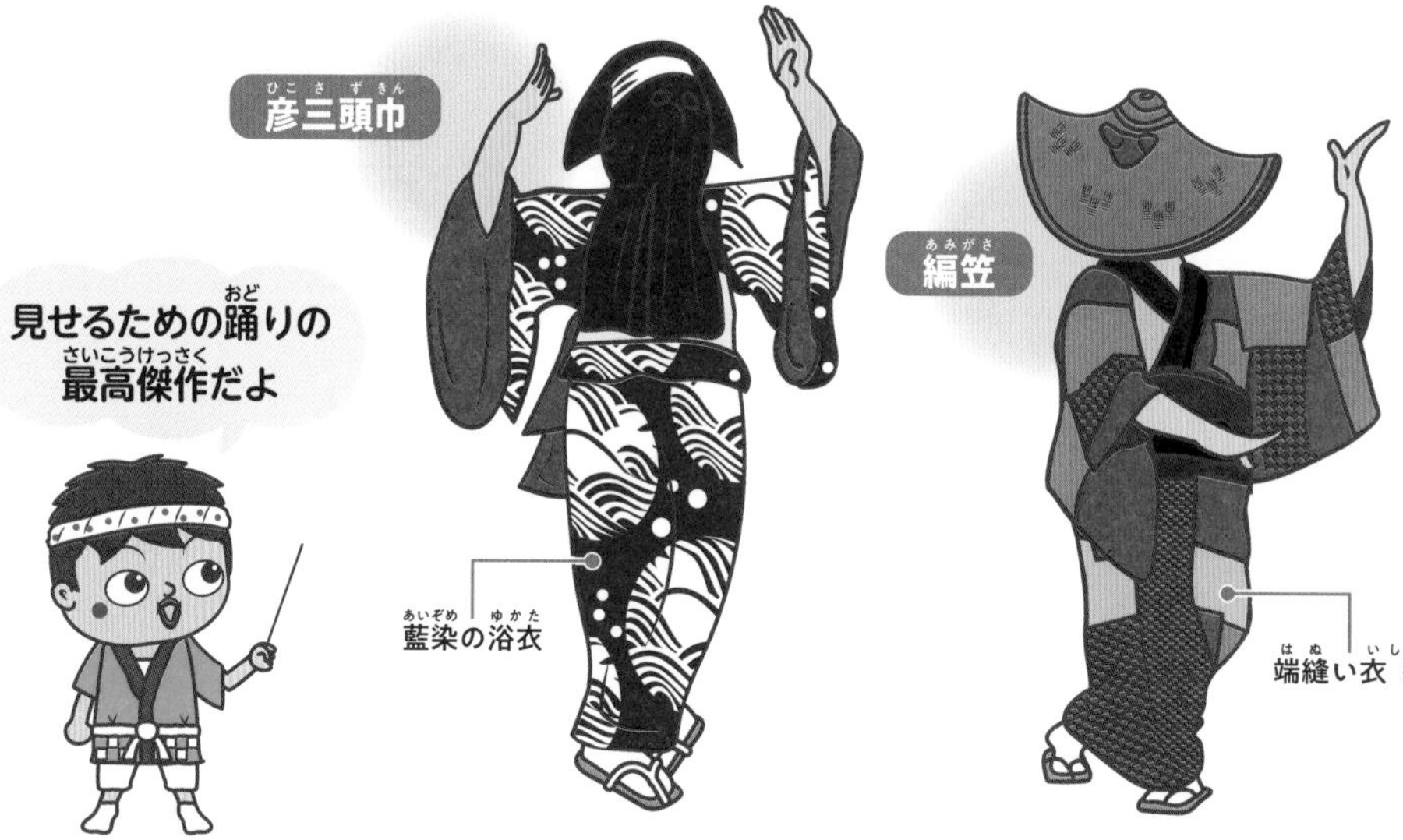

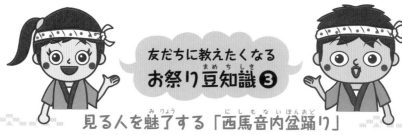

秋のお祭り

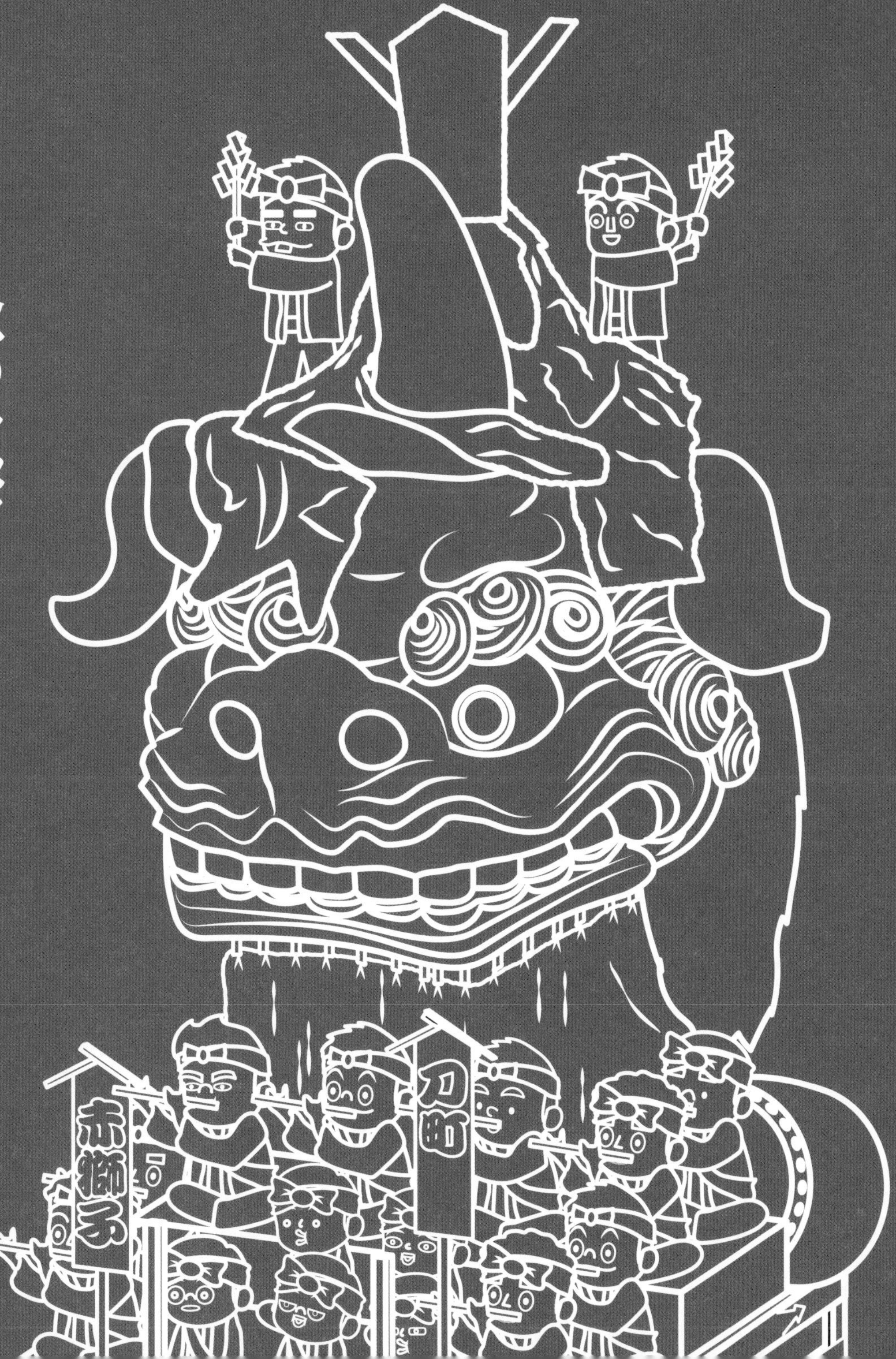

岸和田《きしわだ》だんじり祭《まつり》

木彫《もくちょう》の美しい山車《だし》がかけぬける荒々《あらあら》しいお祭り

9月敬老《けいろう》の日の前の土・日曜日
大阪府岸和田市《おおさかふきしわだし》

豪快《ごうかい》な「やりまわし」

スピードを落とさず直角に方向転換《てんかん》するだんじりの大迫力《だいはくりょく》に圧倒《あっとう》される。

「だんじり」とは、お祭りで曳《ひ》きまわす山車《だし》のことで西日本特有《とくゆう》のよび方です。

大阪府《おおさかふ》の南西、泉南《せんなん》エリアに位置《いち》する岸和田《きしわだ》市岸和田地区周辺《しゅうへん》は〝だんじりの町〟として知られ、だんじり祭が開催《かいさい》される９月から始まるカレンダーがあるほど、お祭りに情熱《じょうねつ》をかたむけています。

重さ４トン以上《いじょう》のだんじりを５００人もの人たちが全速力で曳き、だんじりの屋根の上で舞《ま》いながら指示《しじ》を出す大工方《だいくがた》（屋根乗り）はお祭りの花形です。

一転、日が暮《く》れるとだんじりにたくさんの提灯《ちょうちん》がともされ、ゆっくりと町内をめぐる「灯入《ひい》れ曳行《えいこう》」は幻想的《げんそうてき》です。

お祭りの由来

江戸《えど》時代中期の1703年、岸和田藩主《きしわだはんしゅ》が京都《きょうと》の伏見稲荷《ふしみいなり》を岸和田城内《じょうない》にまつり、五穀豊穣《ごこくほうじょう》を祈《き》願《がん》したのが起源《きげん》。だんじりの豪快《ごうかい》な「やりまわし」は昭和《しょうわ》の時代に始まったとされる。

1分でざっくりわかる「岸和田《きしわだ》だんじり祭《まつり》」

だんじりは、総《そう》ケヤキ造《づくり》で精緻《せいち》な彫刻《ちょうこく》がほどこされ、“走る芸術品《げいじゅつひん》”といわれます。岸和田地区15台は岸和田城《きしわだじょう》の前を通って岸城《きしき》神社へ、岸和田地区1台と春木《はるき》地区12台は弥栄《やえい》神社へ、岸和田地区6台は岸和田天神宮へ宮入り。参道《さんどう》をぎりぎりでかけぬける様子は必見《ひっけん》です。

会場 岸和田《きしわだ》市岸和田地区・春木《はるき》地区　**問い合わせ** 岸和田市観光課《かんこうか》

おもな行事日程《にってい》

土曜日　宵宮《よいみや》

6:00～7:30 曳《ひ》き出《だ》し
9:30～11:30 午前曳行《えいこう》
13:00～17:00 パレード・午後曳行
19:00～22:00 灯《ひ》入《い》れ曳行

日曜日　本宮《ほんみや》

9:00～12:30 宮入《みやい》り
13:00～17:00 午後曳行
19:00～22:00 灯入れ曳行・しまい太鼓《だいこ》

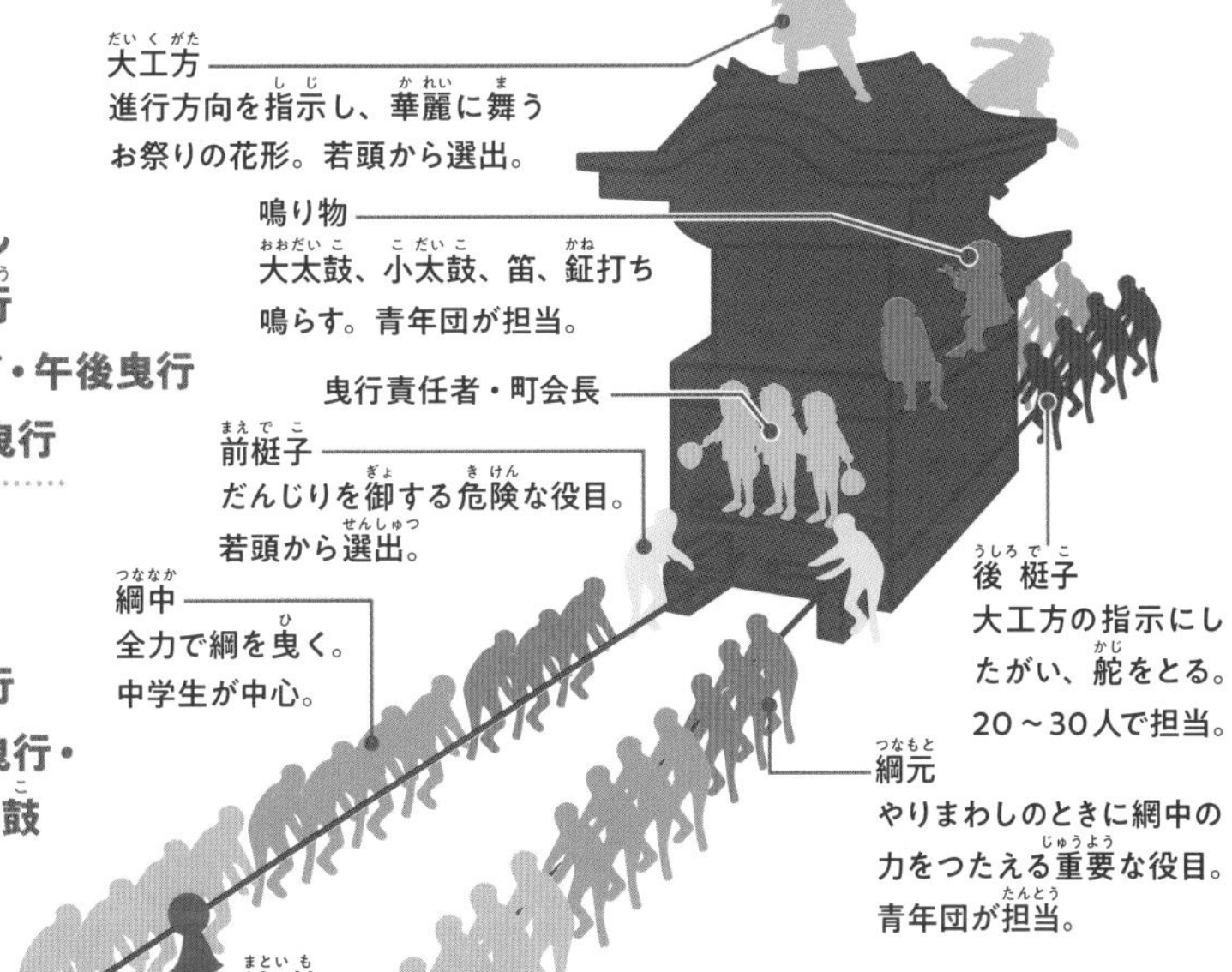
纏持《まといも》ち
綱先《つなさき》
たるまないように綱を張《は》る。小学生が中心。

組織《そしき》の構成例《こうせいれい》

青年団《せいねんだん》（高校生～20代前半）
後梃子《うしろでこ》（20代後半～30代後半）
若頭《わかがしら》（40代）／世話人（50代前半）
相談役・参与《さんよ》（50代後半～）

もっと知りたい！ 10月にもある岸和田《きしわだ》だんじり祭《まつり》

岸和田市の浜手《はまて》、岸和田地区と春木《はるき》地区の9月祭礼が有名ですが、じつは、山手《やまて》の東《ひがし》岸和田など6地区でもスポーツの日の前の土・日に10月祭礼があります。また、だんじり祭は大《おお》阪府《さかふ》の泉南《せんなん》・泉北《せんぼく》・南河内《みなみかわち》エリアをはじめ、関西各地《かんさいかくち》で春から秋まで開催《かいさい》されています。

ひと口メモ 「岸和田《きしわだ》だんじり会館」では、だんじり祭《まつり》の迫力《はくりょく》や熱気《ねっき》を一年中体験《たいけん》できる。だんじりの実物展示《てんじ》、曳行《えいこう》をマルチスクリーン映像《えいぞう》で再現《さいげん》、大工方《だいくがた》の気分を味わえる体験《たいけん》コーナーなど見どころがいっぱい。

長崎《ながさき》くんち

異国情緒《いこくじょうちょ》あふれる、はなやかな奉納踊《ほうのうおど》り

無形

10月7日〜9日

長崎《ながさき》県長崎市

籠町《かごまち》の龍踊《じゃおどり》

江戸《えど》時代中期、唐人屋敷《とうじんやしき》の中国人から直接指導《ちょくせつしどう》を受けたのが始まりとされる。

九州北部の秋祭りは「くんち」とよばれます。地域《ちいき》によって日程《にってい》も内容《ないよう》もさまざまで、「長崎《ながさき》くんち」「唐津《からつ》くんち」「博多《はかた》おくんち」が〝日本三大くんち〟として知られています。

長崎くんちは、市内58の町が7組に分かれて諏訪《すわ》神社に自慢《じまん》の演《だ》し物《もの》を奉納《ほうのう》します。日本舞踊《にほんぶよう》の本踊《ほんおど》り、唐風《からふう》の龍踊《じゃおどり》、南蛮船《なんばんせん》、鯨《くじら》の潮吹《しおふ》き、オランダ万歳《まんざい》、大《おお》阪《さか》の「だんじり」がつたわったというコッコデショ（太鼓山《たいこやま》）など、全町の奉《ほう》納踊《のうおど》りを見物《けんぶつ》するには7年かかります。

観客《かんきゃく》は「モッテコーイ」などのかけ声をかけてアンコールを求めます。

お祭りの由来

「くんち」の語源《ごげん》は「9日」や「供日《くにち》」とされる。旧暦《きゅうれき》9月9日を「重陽《ちょうよう》の節句《せっく》」として祝《いわ》う中国の風習がつたわり、九州北部で秋の収穫《しゅうかく》に感謝《かんしゃ》するお祭りの名称《めいしょう》として定着したといわれている。

1分でざっくりわかる「長崎《ながさき》くんち」

奉納踊《ほうのうおど》り（演《だ》し物《もの》）を披露《ひろう》する当番の町を「踊町《おどりちょう》」といい、準備《じゅんび》は6月から始まります。

10月7日〜９日は、各《かく》会場での奉納踊りのあと、「庭先回り」として街《まち》にくりだします。

また、諏訪《すわ》神社の３基《き》の神輿《みこし》が石段《いしだん》の長坂をかけおり、かけのぼる迫力《はくりょく》に圧倒《あっとう》されます。

会場 諏訪《すわ》神社、元船町《もとふなまち》お旅所《たびしょ》、八坂《やさか》神社、中央公園ほか

問い合わせ 長崎伝統芸能振興会《でんとうげいのうしんこうかい》（長崎商工会議所《かいぎしょ》内）

おもな行事日程《にってい》

6月1日　小屋入り
●各踊町《かくおどりちょう》の世話役・出演者《しゅつえんしゃ》が諏訪神社・八坂神社で清祓《きよはら》いを受け、稽古《けいこ》に入る。

10月3日　庭見世《にわみせ》
●各踊町のシンボルである傘鉾《かさほこ》をはじめ演《だ》し物《もの》の衣装《いしょう》や小道具などを披露《ひろう》する。

10月4日　人数揃《にいぞろ》い
●各町内で本番同様に奉納踊りを披露する。

10月7日　（前日《まえび》）奉納踊《ほうのうおど》り・庭先回り
13：00〜14：00
お下《くだ》り・傘鉾《かさほこ》パレード 諏訪神社⇒お旅所

10月8日　（中日《なかび》）奉納踊り・庭先回り

10月9日　（後日《あとび》）奉納踊り・庭先回り
13：00〜15：00
お上《のぼ》り お旅所⇒諏訪神社

フトーマワレ！
大黒町
モッテコーイ！
ショモーヤレ！
大黒町
大黒町
大黒町《だいこくまち》の傘鉾《かさほこ》と唐人船《とうじんぶね》

かけ声はアンコールの意味だよ

ひと口メモ 江戸《えど》時代前期、幕府《ばくふ》は鎖国令《さこくれい》を出し、キリシタンの布教《ふきょう》がさかんだった長崎《ながさき》を直轄領《ちょっかつりょう》とした。そして長崎の産土神《うぶすながみ》3神をまつる諏訪《すわ》神社のお祭りとして、1634年に「長崎くんち」が始められた。

極彩色《ごくさいしき》の曳山《ひきやま》に目をうばわれる「唐津《からつ》くんち」

無形 ユネスコ

11月2日～4日、和紙に漆《うるし》を塗《ぬ》り、赤や緑、金箔《きんぱく》などで
仕上げた14台の曳山《ひきやま》が唐津《からつ》の街《まち》を練《ね》り歩きます。
ハイライトは西《にし》の浜《はま》のお旅所《たびしょ》での曳込《ひきこ》み・曳出《ひきだ》しです。
1台2～3トンもある曳山は、砂《すな》に車輪《しゃりん》がうもれ、
200～300人で曳《ひ》く曳子《ひきこ》たちのかけ声も最高潮《さいこうちょう》に達《たっ》します。

会場 佐賀県《さが》唐津市《からつ》中心街《ちゅうしんがい》

問い合わせ 唐津観光協会《かんこうきょうかい》

おもな行事日程《にってい》

11月2日

19：00～22：00 宵曳山《よいやま》

●一番曳山《ひきやま》が大手口《おおてぐち》を出発、各町《かくまち》の
曳山が合流して曳山展示場《てんじじょう》へ。

11月3日

5：00「神田《こうだ》かぶかぶ獅子《しし》」
獅子舞奉納《ししまいほうのう》 唐津《からつ》神社

9：30～16：30 お旅所神幸《たびしょしんこう》

●曳山が唐津神社から神輿《みこし》のお供《とも》をして
西《にし》の浜《はま》のお旅所へ巡行《じゅんこう》後、各町へ。

11月4日

10：00～17：30 翌日祭《よくじつ》

●曳山が唐津神社を出て各町をめぐり、
曳山展示場へ曳き納《おさ》められる。

唐津《からつ》くんちの曳山《ひきやま》 (制作年《せいさくねん》)

一番曳山「赤獅子《あかじし》」刀町《かたなまち》（1819年）
二番曳山「青獅子《あおじし》」中町《なかまち》（1824年）
三番曳山「亀《かめ》と浦島太郎《うらしまたろう》」材木町《ざいもくまち》（1841年）
四番曳山「源 義経《みなもとのよしつね》の兜《かぶと》」呉服町《ごふくまち》（1844年）
五番曳山「鯛《たい》」魚屋町《うおやまち》（1845年）
六番曳山「鳳凰丸《ほうおうまる》」大石町《おおいしまち》（1846年）
七番曳山「飛龍《ひりゅう》」新町《しんまち》（1846年）
八番曳山「金獅子《きんじし》」本町《ほんまち》（1847年）
九番曳山「武田信玄《たけだしんげん》の兜《かぶと》」木綿町《きわたまち》（1864年）
十番曳山「上杉謙信《うえすぎけんしん》の兜」平野町《ひらのまち》（1869年）
十一番曳山「酒呑童子《しゅてんどうじ》と源頼光《みなもとらいこう》の兜」米屋町《こめやまち》（1869年）
十二番曳山「珠取獅子《たまとりじし》」京町《きょうまち》（1876年）
十三番曳山「鯱《しゃち》」水主町《かこまち》（1876年）
十四番曳山「七宝丸《しちほうまる》」江川町《えがわまち》（1876年）

もっと知りたい! 秋の実りに感謝《かんしゃ》する「博多《はかた》おくんち」

福岡《ふくおか》県の博多祇園山笠《はかたぎおんやまかさ》で知られる櫛田《くしだ》神社の秋季大祭《しゅうきたいさい》です。10月23日を本祭《ほんまつり》として本殿《ほんでん》での神事、前日には博多埠頭《ふとう》の浜宮《はまみや》で浜宮祭・神輿《みこし》潔《きよ》めがおこなわれます。見どころは、神輿を牛車《ぎっしゃ》が曳《ひ》く24日の神幸行列《しんこうぎょうれつ》（博多おくんちパレード）です。例年《れいねん》、櫛田神社にまつられる3神の神輿のうち1基《き》が出て、25年ごとの式年遷宮《せんぐう》の年には3基が連《つら》なります。また、22日・23日には境内《けいだい》で五穀豊穣市《ごこくほうじょういち》があり、子どものすこやかな成長《せいちょう》を願《ねが》う伝統《でんとう》の「千灯明《せんとうみょう》」も必見《ひっけん》です。

博多《はかた》おくんちの神輿行列《みこしぎょうれつ》

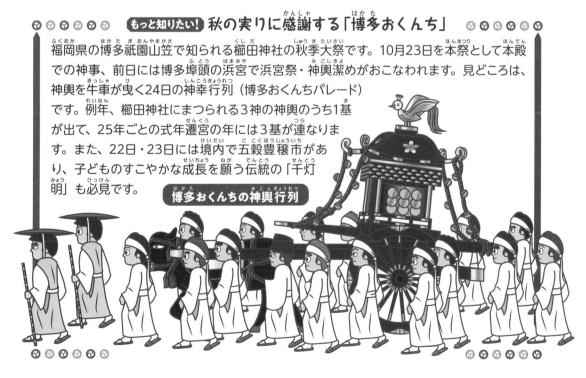

新居浜《にいはま》太鼓《たいこ》祭《まつ》り

巨大《きょだい》な太鼓台《たいこだい》を持ち上げる〝男祭り〟

10月16日～18日
愛媛県《えひめけん》新居浜市《にいはまし》

太鼓台《たいこだい》かきくらべ

150人以上《いじょう》のかき夫《ふ》が肩《かた》にかつぎ上げ、さらに両腕《りょううで》をのばして持ち上げる。

新居浜太鼓祭《にいはまたいこまつ》りは、愛媛《えひめ》県東部に位置《いち》する新居浜市の秋祭りです。参加《さんか》8地区全54台の金糸の立体刺繍《ししゅう》がほどこされた巨大《きょだい》な太鼓台《たいこだい》が市内を練《ね》り歩き、迫力《はくりょく》ある4拍子《びょうし》の太鼓の音がひびきわたります。ライトアップされた「夜《よ》太鼓《だいこ》」も幻想的《げんそうてき》です。

見どころは、複数《ふくすう》の太鼓台が1か所に集まり、勇壮《ゆうそう》さを競《きそ》う「かきくらべ」。車輪《しゃりん》をはずし、太鼓が早打ちされ、かき夫《ふ》たちがかけ声とともに太鼓台を天高く差《さ》し上げます。太鼓台を放り上げたり、回転させたり、房《ふさ》をきれいにゆらす房割《ふさわ》り、さまざまな技《わざ》を見せます。

お祭りの由来
お祭りの主役である太鼓台《たいこだい》は、神輿渡御《みこしとぎょ》にお供《とも》する山車《だし》だった。江戸《えど》時代中期、別子銅山《べっしどうざん》が開坑《かいこう》し、地域《ちいき》が発展《はってん》するにつれて太鼓台が大型化《おおがたか》し、各《かく》地区で豪華《ごうか》さ・勇壮《ゆうそう》さを競《きそ》うようになった。

1分でざっくりわかる「新居浜太鼓祭り《にいはまたいこまつ》」

3日間毎日、市内各所《かくしょ》で勇壮《ゆうそう》な「かきくらべ」を見ることができます。なかでも、複数《ふくすう》の太鼓台《たいこだい》が横一線にならび、いっせいに差《さ》し上《あ》げをおこなう「寄《よ》せがき」は大迫力《だいはくりょく》。隔年《かくねん》10月18日、川西《かわにし》地区では神輿《みこし》と太鼓台を船にのせて「船御幸《ふなみゆき》」がおこなわれます。

会場 新居浜《にいはま》市全域《ぜんいき》　**問い合わせ** 新居浜市観光物産課《かんこうぶっさんか》

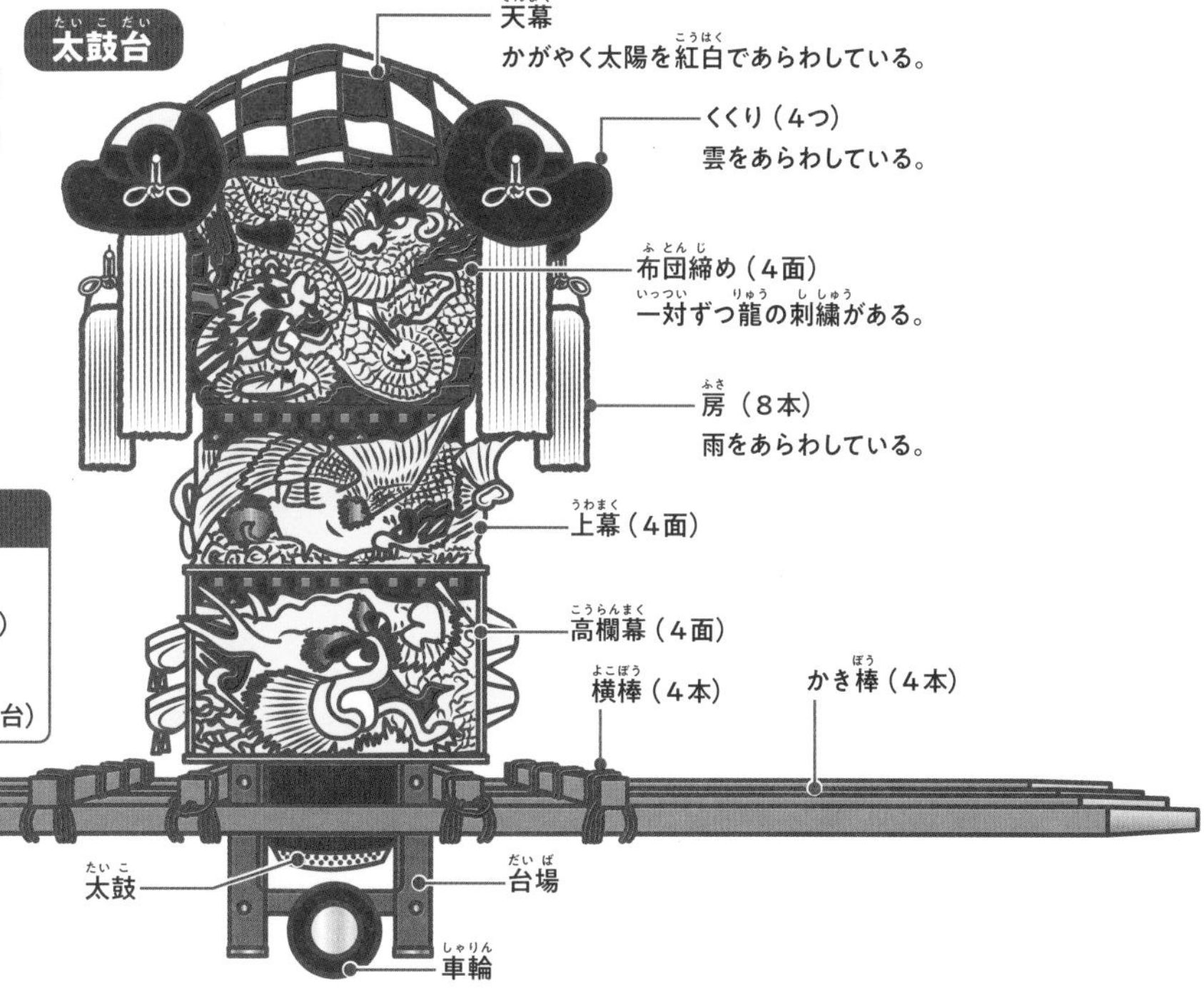

参加《さんか》8地区／全54台

川西《かわにし》地区（13台）	角野《すみの》地区（4台）
川東《かわひがし》地区（9台）	泉川《いずみがわ》地区（4台）
川東西部《かわひがしせいぶ》地区（8台）	中萩《なかはぎ》地区（7台）
船木《ふなき》地区（5台）	大生院《おおじょういん》地区（4台）

●高さ約《やく》5 m ●幅《はば》約 3.4 m
●長さ約 12 m ●重さ約 2.5 トン

もっと知りたい! これが新居浜《にいはま》の太鼓台《たいこだい》だ！

天幕《てんまく》などは宇宙《うちゅう》をあらわし、東西南北の四本柱を巻《ま》く布団締《ふとんじ》めの龍《りゅう》が天にのぼって雨をふらせるといわれ、上幕《うわまく》と高欄幕《こうらんまく》にも鳥獣《ちょうじゅう》や御殿《ごてん》、武者絵《むしゃえ》などが刺繍《ししゅう》されています。そして太鼓《たいこ》係が2人、天幕の上に2人、かき棒《ぼう》の上に4人の指揮者《しきしゃ》がのります。

ひとロメモ　運行中に太鼓台《たいこだい》をぶつけあう「鉢合《はちあ》わせ」は、漁師《りょうし》の漁場《ぎょば》争《あらそ》いや農民《のうみん》の田畑の水をめぐる対立から発展《はってん》した。“けんか祭り”としても知られるが、近年は鉢合わせを危険《きけん》な行為《こうい》として禁止《きんし》している。

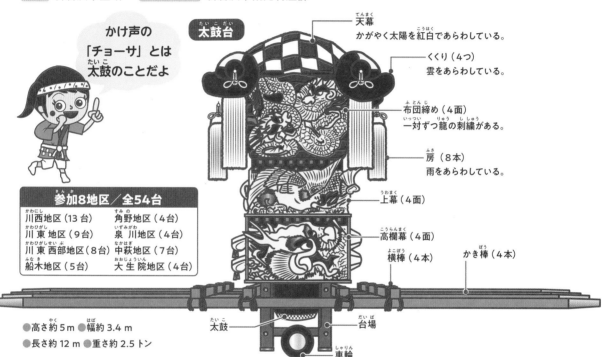

時代祭《じだいまつり》

ひと目で京都《きょうと》の歴史《れきし》がわかる〝動く時代絵巻《えまき》〟

10月22日
京都府《きょうとふ》京都市

平安《へいあん》時代婦人列《ふじんれつ》

清少納言《せいしょうなごん》や紫式部《むらさきしきぶ》、小野小町《おののこまち》など、女流作家や歌人が十二単《じゅうにひとえ》で登場《とうじょう》。

時代祭《じだいまつり》が開催《かいさい》される10月22日は、桓武《かんむ》天皇《てんのう》が平安京《へいあんきょう》に遷都《せんと》した日であり、京都《きょうと》の誕生日《たんじょうび》といえます。

平安神宮《へいあんじんぐう》にまつられる桓武天皇と孝明《こうめい》天皇が御鳳輦《ごほうれん》に乗って京都御所《ごしょ》へ向かい、人々《ひとびと》の平穏《へいおん》と繁栄《はんえい》を願《ねが》ったのち、平安神宮へもどるお祭りです。そして、京都が都だった時代の風俗《ふうぞく》の変遷《へんせん》を再現《さいげん》した行列が、2基《き》の御鳳輦のお供《とも》をして市内を練《ね》り歩きます。この行列に使われる衣《い》装《しょう》や祭具《さいぐ》はすべて綿密《めんみつ》な時代考証《こうしょう》をもとにつくられています。それは千年以上《いじょう》にわたって京都でつちかわれてきた伝統工《でんとうこう》芸技術《げいぎじゅつ》であり、京都市民《しみん》の誇《ほこ》りです。

お祭りの由来
平安神宮《へいあんじんぐう》は平安遷都《せんと》1100年を記念し、明治維新《めいじいしん》によって衰退《すいたい》した京都《きょうと》の町おこし事業として1895年3月に創建《そうけん》された。そして同年秋、京都の歴史《れきし》と文化をつたえる時代祭《じだいまつり》が誕生《たんじょう》した。

1分でざっくりわかる「時代祭《じだいまつり》」

時代風俗《ふうぞく》行列には、総勢《そうぜい》2000人の京都市民《きょうとしみん》が歴史《れきし》上の人物などに扮《ふん》して参加《さんか》します。すべての行列が一地点を通過《つうか》する時間は約《やく》1時間半。明治維新《めいじいしん》から時代をさかのぼって平安遷都《せんと》の延暦《えんりゃく》年間にいたるまで、往時《おうじ》のままに風俗の変遷《へんせん》を見ることができます。

会場 平安神宮《へいあんじんぐう》、京都御所《きょうとごしょ》ほか　**問い合わせ** 京都市観光協会《かんこうきょうかい》

おもな行事日程《にってい》

- 8:00 **神幸祭《しんこうさい》** 平安神宮⇒京都御所
- 10:30 **行在所祭《あんざいしょさい》** 京都御所
- 12:00 **時代風俗《ふうぞく》行列進発《しんぱつ》** 京都御所⇒平安神宮
- 16:00 **大極殿祭《だいごくでんさい》・還幸祭《かんこうさい》** 平安神宮

時代風俗《ふうぞく》行列の巡行路《じゅんこうろ》

行列のおもな構成《こうせい》

明治維新《めいじいしん》時代	維新勤王隊列《きんのうたいれつ》・幕末志士列《ばくまつししれつ》
江戸《えど》時代	徳川城使上洛列《とくがわじょうしじょうらくれつ》・江戸時代婦人列《ふじんれつ》
安土桃山《あづちももやま》時代	豊公参朝列《ほうこうさんちょうれつ》・織田公《おだこう》上洛列
室町《むろまち》時代	室町幕府執政列《ばくふしっせいれつ》・室町洛中風俗列《らくちゅうふうぞくれつ》
吉野《よしの》時代	楠公《なんこう》上洛列・中世婦人列
鎌倉《かまくら》時代	城南流鏑馬列《じょうなんやぶさめれつ》
藤原《ふじわら》時代	藤原公卿《くぎょう》参朝列・平安時代婦人列
延暦《えんりゃく》時代	延暦武官《ぶかん》行進列・延暦文官《ぶんかん》参朝列
祭神《さいじん》の行列	神饌講社列《しんせんこうしゃれつ》・前列《ぜんれつ》・神幸列《しんこうれつ》・白川女献花列《しらかわめけんかれつ》・弓箭組列《きゅうぜんぐみれつ》

ひとロメモ
平安神宮《へいあんじんぐう》には、奈良《なら》の平城京《へいじょうきょう》から山城《やましろ》の長岡京《ながおかきょう》へ、そして794年に京都《きょうと》の平安京《へいあんきょう》へ都をうつした桓武天皇《かんむてんのう》と、明治維新《めいじいしん》後、京都御所最後《ごしょさいご》となった孝明《こうめい》天皇がまつられ、京都市民《しみん》の氏神《うじがみ》とされる。

弥《や》五《ご》郎《ろう》どん祭《まつ》り

伝説《でんせつ》の大男が威風堂々《いふうどうどう》と氏子《うじこ》町内を練《ね》り歩く

11月3日
鹿児島《かごしま》県曽於《そお》市

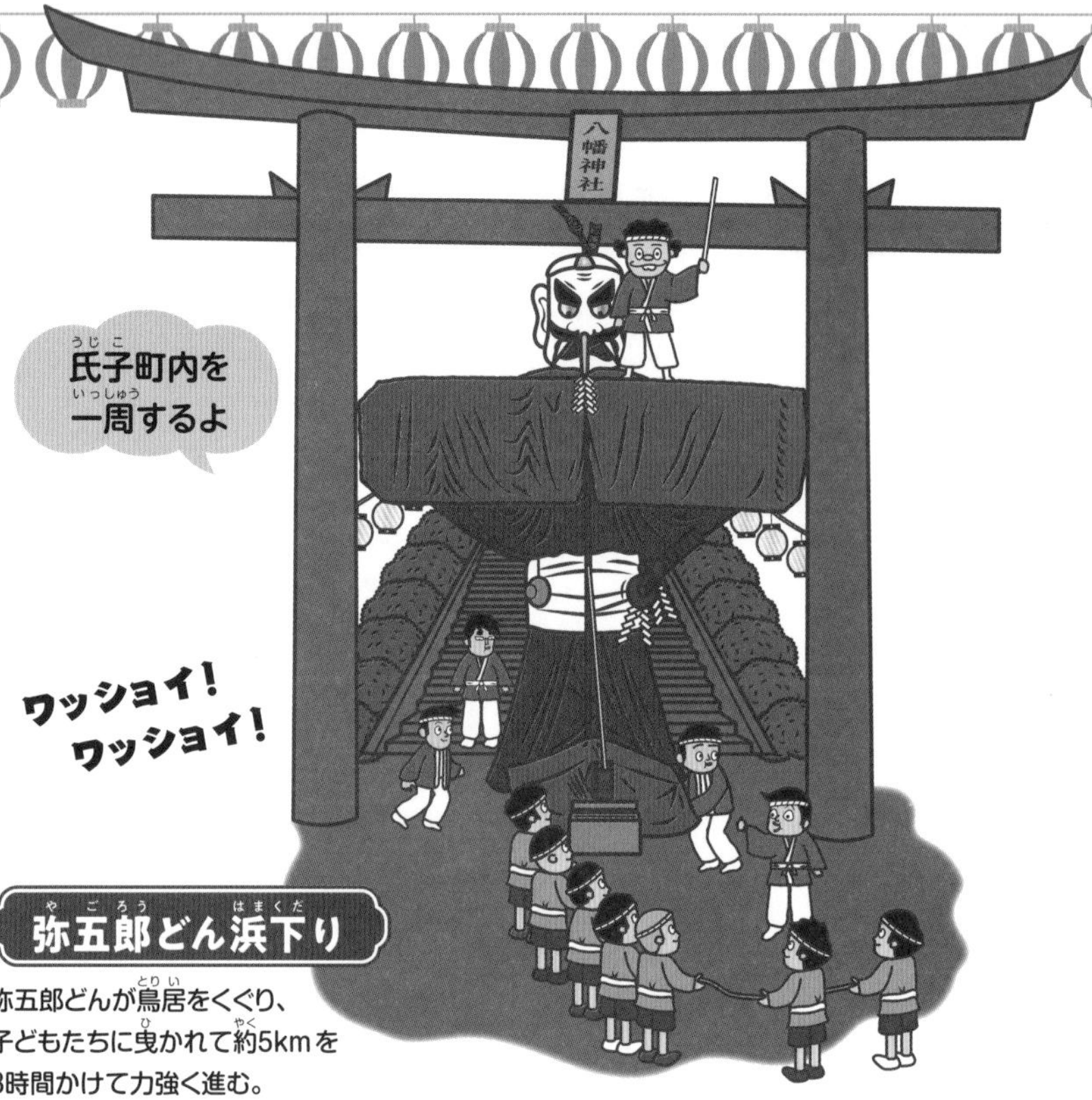

弥五郎《やごろう》どん浜下《はまくだ》り

弥五郎どんが鳥居《とりい》をくぐり、子どもたちに曳《ひ》かれて約《やく》5kmを3時間かけて力強く進む。

弥五郎《やごろう》どん祭《まつ》りは、宮崎《みやざき》県に近い鹿《か》児《ご》島《しま》県曽於《そお》市大隅町《おおすみちょう》の岩川八幡《いわがわはちまん》神社の秋祭りです。地域《ちいき》の守り神である弥五郎どんに秋の恵《めぐ》みと健康を感謝《かんしゃ》します。

11月3日深夜1時、若衆《わかしゅう》が触太鼓《ふれだいこ》とともに「弥五郎どんが起きっど～」と氏子《うじこ》町内にふれまわり、社殿《しゃでん》内で弥五郎どんの組み立てが始まります。明け方の弥五郎どん起こしに参加《さんか》すると「体が丈夫《じょうぶ》になる」といわれています。

午後からがメインイベントの弥五郎どん浜下《はまくだ》り（神幸行列《しんこうぎょうれつ》）。このほか市中パレードや、神社周辺《しゅうへん》で奉納《ほうのう》武道《ぶどう》大会《たいかい》や演芸《えんげい》大会などが開催《かいさい》されます。

お祭りの由来

弥五郎《やごろう》は大和朝廷《やまとちょうてい》に対抗《たいこう》し敗北《はいぼく》した隼人族《はやとぞく》の首長《しゅちょう》とも、朝廷側《がわ》の武内宿禰《たけのうちのすくね》ともいわれ、隼人族の霊《れい》を放生会《ほうじょうえ》（殺生《せっしょう》せず、生き物を野に放つ儀式《ぎしき》）で供養《くよう》したのがお祭りの起源《きげん》とされる。

1分でざっくりわかる「弥五郎《やごろう》どん祭《まつ》り」

弥五郎どんは籠《かご》でつくられ、ギョロリ眼《まなこ》に太い眉《まゆ》、大小の太刀《たち》を腰《こし》にたずさえた大男です。浜下り《はまくだ》（神幸行列《しんこうぎょうれつ》）では太鼓隊《たいこたい》・大傘《おおがさ》・神輿《みこし》などをしたがえて進み、必見《ひっけん》ポイントは、巨体《きょたい》をそらして高架橋《こうかきょう》の下をくぐる弥太郎どんの姿《すがた》。観客《かんきゃく》は拍手喝采《はくしゅかっさい》です。

会場 岩川八幡《いわがわはちまん》神社ほか

問い合わせ 弥五郎どん祭り実行委員会（曽於《そお》市商工会大隅《おおすみ》支所内）

おもな行事日程《にってい》

深夜1：00 弥五郎どん触太鼓《ふれだいこ》・製作《せいさく》開始
4：00 弥五郎どん起こし
8：30 大隅《おおすみ》弥五郎太鼓奉納《ほうのう》・巫女舞《みこまい》
9：30 神幸祭《しんこうさい》
10：50 大隅弥五郎太鼓奉納・薬丸示顕流《やくまるじげんりゅう》演武《えんぶ》
13：30〜15：45 弥五郎どん浜下り《はまくだ》（神幸行列）

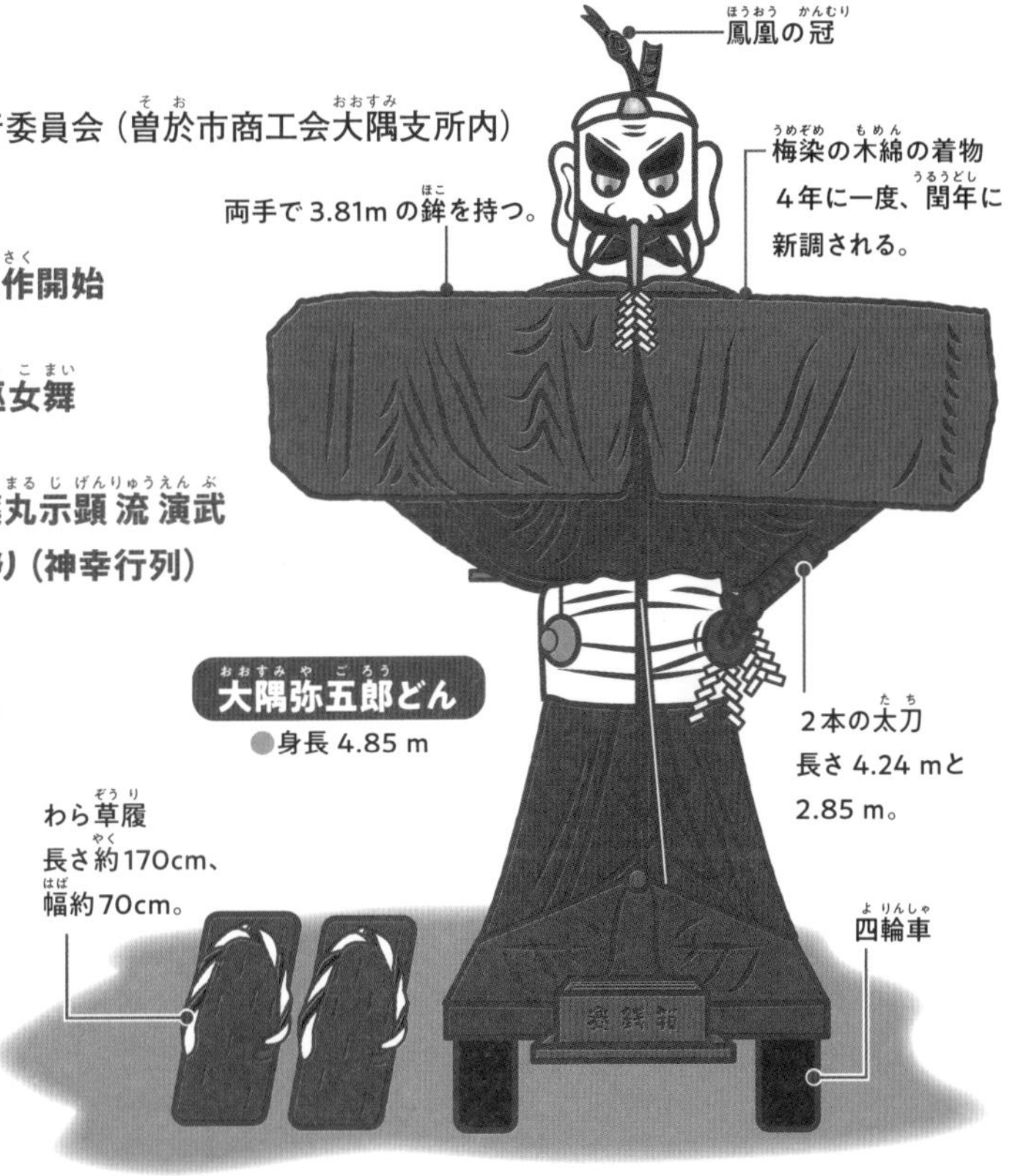

もっと知りたい！ 弥五郎《やごろう》どんは三兄弟だった!?

岩川八幡《いわがわはちまん》神社の弥五郎どんは次男とされ、長男は宮崎《みやざき》県都城《みやこのじょう》市の的野正八幡宮《まとのしょうはちまんぐう》の弥五郎どん（身長約《やく》4m、例祭《れいさい》11月3日）、そして三男は宮崎県日南《にちなん》市の田ノ上《たのうえ》八幡神社の弥五郎どん（身長約7m、例祭11月23日）。3神社は「日向《ひむか》」とよばれた隼人族《はやとぞく》の地にあります。

ひと口メモ 曽於《そお》市内の「道の駅おおすみ弥五郎伝説《やごろうでんせつ》の里」の広場には弥五郎どんの銅像《どうぞう》が立っている。高さ約《やく》15m、幅《はば》約8m、重さ約40トンの巨像《きょぞう》だ。銅像広場からは町並《まちな》みを一望《いちぼう》できる。また、桜《さくら》の名所。

八代妙見祭《やつしろみょうけんさい》

豪華絢爛《ごうかけんらん》、迫力満点《はくりょくまんてん》の2キロにわたる大行列!!

ホイホイ！
ホイホイ！
かけ声の
するほうに
くるくる回るよ

無形

ユネスコ

11月22日・23日
熊本《くまもと》県八代《やつしろ》市

八代妙見祭《やつしろみょうけんさい》は、八代市妙見町《みょうけんまち》にある八代神社の例祭《れいさい》にともなうお祭りです。

八代神社は、宇宙《うちゅう》を支配《しはい》する妙見神《みょうけんしん》（妙見菩薩《みょうけんぼさつ》）を祭神《さいじん》とし、明治新政府《めいじしんせいふ》の神仏分離《しんぶつぶんり》までは「妙見宮《みょうけんぐう》」とよばれていました。妙見神は約《やく》1300年前に中国から亀蛇《きだ》（亀《かめ》と蛇《へび》が合体した想像上《そうぞうじょう》の生き物）に乗って八代の地にやってきたとつたわります。亀蛇は地元の人たちに「ガメ」とよばれ、愛《あい》されています。

11月23日の神幸行列《しんこうぎょうれつ》（お上《のぼ》り）では、獅子《しし》を先頭に、神馬《しんめ》、神輿《みこし》、9基《き》の笠鉾《かさほこ》、亀蛇、飾馬《かざりうま》など40もの多彩《たさい》な演《だ》し物《もの》が約6キロの道のりを練《ね》り歩きます。

亀蛇《きだ》（愛称《あいしょう》：ガメ） 首を左右にふったり、川に入ったり、観客席《かんきゃくせき》にかけあがったり、あばれまわる。

お祭りの由来 江戸《えど》時代初期《しょき》の1632年、八代城《やつしろじょう》に隠居《いんきょ》した細川忠興《ほそかわただおき》が妙見宮《みょうけんぐう》を細川家の守護社《しゅごしゃ》とし、神輿《みこし》や神馬《しんめ》、飾馬《かざりうま》などを奉納《ほうのう》したのが、現在《げんざい》の多彩《たさい》な演《だ》し物《もの》が登場する神幸行列《しんこうぎょうれつ》の始まりといわれている。

1分でざっくりわかる「八代妙見祭《やつしろみょうけんさい》」

11月22日の「お下《くだ》り」では、深夜の神事のあと、神馬《しんめ》や神輿《みこし》がお旅所《たびしょ》へ向かいます。そして、「御夜《ごや》」は前夜祭。本町アーケードに笠鉾《かさほこ》・亀蛇《きだ》・獅子《しし》などの演《だ》し物《もの》が展示《てんじ》されます。23日の「お上《のぼ》り」ではすべての演し物が登場、砥崎河原《とさきのかわら》の奉納《ほうのう》演舞で最高潮《さいこうちょう》に達《たっ》します。

会場 八代《やつしろ》神社（妙見宮《みょうけんぐう》）、塩屋八幡宮《しおやはちまんぐう》ほか

問い合わせ 八代妙見祭保存振興会《ほぞんしんこうかい》（八代市文化振興課《か》内）

おもな行事日程《にってい》

11月22日

深夜0:00 **宮遷式《みやうつししき》・本宮発輦祭《ほんぐうはつれんさい》・神馬御供奉告祭《しんめごくほうこくさい》** 八代神社

14:00〜17:00 **神幸行列《しんこうぎょうれつ》（お下《くだ》り）** 八代神社⇒お旅所（塩屋八幡宮）

17:00 **お旅所着輦祭《たびしょちゃくれんさい》** 塩屋八幡宮

18:00〜20:30 **御夜《ごや》** 本町アーケード

11月23日

6:00 **飾馬抽選《かざりうまちゅうせん》** 塩屋八幡宮

7:00 **お旅所発輦祭《はつれんさい》** 塩屋八幡宮

7:30〜11:00 **神幸行列（お上《のぼ》り）**
お旅所（塩屋八幡宮）⇒八代神社

●途中《とちゅう》、八代駅前などで演《だ》し物《もの》を紹介《しょうかい》、演舞《えんぶ》が披露《ひろう》される。

12:30〜17:00 **奉納演舞《ほうのうえんぶ》** 砥崎河原《とさきのかわら》

もっと知りたい！ 勇壮《ゆうそう》な飾馬奉納《かざりうまほうのう》！

砥崎河原《とさきのかわら》の奉納演舞《ほうのうえんぶ》では、獅子舞《ししまい》・花奴《はなやっこ》・木馬《きんま》・亀《き》蛇《だ》・飾馬《かざりうま》などの郷土芸能《きょうどげいのう》が披露《ひろう》されます。なかでも飾馬は圧巻《あっかん》です。「花馬《はなうま》」ともよばれ、着かざった馬たちが順番《じゅんばん》に水しぶきをあげて河原《かわら》を疾走《しっそう》する、江戸《えど》時代からつづいている馬追《うまおい》の行事です。

ひと口メモ 八代城跡《やつしろじょうせき》公園のとなり、お祭りでんでん館（八代市民俗伝統芸能伝承館《みんぞくでんとうげいのうでんしょうかん》）では、八代妙見祭《みょうけんさい》について学べ、笠鉾《かさほこ》9基《き》すべてをいつでも見学できる。また、お祭り体験《たいけん》シアターで迫力《はくりょく》ある映像《えいぞう》を放映《ほうえい》。

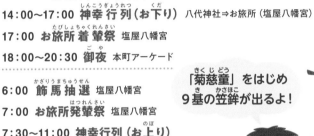

友だちに教えたくなる
お祭り豆知識《まめちしき》④

神無月《かんなづき》と神在祭《かみありさい》

10月を「神無月《かんなづき》」とよぶのは、日本全国の神々《かみがみ》が島根《しまね》県東部の出雲《いずも》地方に集まるからといわれています。一方、出雲地方では「神在月《かみありづき》」とよばれます。出雲大社《いずもおおやしろ》では毎年旧暦《きゅうれき》10月10日、稲佐《いなさ》の浜《はま》での神迎《かみむかえ》神事につづき、神楽殿《かぐらでん》にて神迎祭《かみむかえさい》をおこない、境内《けいだい》の東西にある十九社《じゅうくしゃ》に全国の神々をおまつりします。そして翌日《よくじつ》からの7日間を「神在祭《かみありさい》」といい、神々が縁結《えんむす》びや来年の収穫《しゅうかく》などについて神議《かむはか》り（会議《かいぎ》）にかけて決めるとされ、出雲大社では旧暦10月15日と17日に縁結大祭《えんむすびたいさい》がとりおこなわれます。そして17日夕方、出雲大社から神々をお見送りします。神在祭は出雲地方の各《かく》神社でもおこなわれ、神々が出雲の地を去るのは26日とされています。これらの神事は非《ひ》公開のものが多く、一般《いっぱん》の参拝《さんぱい》は境内からとなります。

万九千《まんくせん》神社から帰ると
いわれているよ
十九社祭《じゅうくしゃさい》

冬のお祭り

高千穂《たかちほ》の夜神楽《よかぐら》

日本神話をつたえる夜通しの舞《まい》

無形

11月中旬《ちゅうじゅん》〜
翌年《よくねん》2月上旬《じょうじゅん》
宮崎県《みやざき》高千穂町《たかちほちょう》

戸取《ととり》の舞《まい》 アメノタヂカラオが天岩戸《あまのいわと》を持ち上げ、世の中が明るくなる“岩戸五番《いわとごばん》”のクライマックス。

宮崎県《みやざき》の西北部、高千穂町《たかちほちょう》の高千穂神社は天界から天皇家《てんのうけ》の子孫《しそん》が降《お》り立った天孫降臨《てんそんこうりん》の地といわれ、アマテラスがとじこもった天岩戸《あまのいわと》も高千穂の地にあったとされます。

そんな日本神話ゆかりの地につたわるのが「高千穂の夜神楽《よかぐら》」です。集落ごとに輪番制《りんばんせい》で奉納《ほうのう》する「夜神楽三十三番」は33の演目《えんもく》で構成《こうせい》され、神話の神々《かみがみ》がたくさん登場します。

また、高千穂神社では毎年11月22日・23日に夜神楽三十三番すべてを見ることができる「神話の高千穂夜神楽まつり」があります。

お祭りの由来 高千穂《たかちほ》の夜神楽《よかぐら》は平安《へいあん》時代末期《まっき》から鎌倉《かまくら》時代にかけて成立《せいりつ》したとされる。高千穂神社の神職《しんしょく》が伝《でん》承《しょう》し奉納《ほうのう》されてきたが、江戸《えど》時代後期に夜神楽三十三番となり、集落ごとに受けつがれている。

1分でざっくりわかる「高千穂《たかちほ》の夜神楽《よかぐら》」

夜神楽三十三番の３番「神降《かみおろし》」、４番「鎮守《ちんじゅ》」、５番「杉登《すぎのぼり》」は天孫降臨《てんそんこうりん》の場面をあらわし、かならず舞《ま》われます。そして天岩戸《あまのいわと》神話を題材《だいざい》にした22番から27番の“岩戸五番”が人気です。明け方、26番「戸取《ととり》」が舞われ、いちばんの盛《も》りあがりを見せます。

会場 高千穂町《たかちほちょう》の約《やく》20集落　**問い合わせ** 高千穂町観光協会《かんこうきょうかい》

おもな行事日程《にってい》

14：00ころ 神迎《かみむか》え・道行《みちゆき》

- 氏神《うじがみ》さまを集落の神社へむかえに行き、神輿《みこし》を先頭に道神楽《みちかぐら》を舞《ま》いながら神楽宿《かぐらやど》（当番の民家《みんか》や公民館《こうみんかん》）に向かう。

18：00ころ～翌日《よくじつ》昼前 夜神楽《よかぐら》

- 神楽宿では神庭《こうにわ》をしつらえ、天蓋《てんがい》（雲）をつり、注連縄《しめなわ》を張《は》り、彫《え》り物《もの》（切り絵）でかざられる。神座《かみざ》に神面《しんめん》（おもて様）を置《お》き、お神酒《みき》や供物《くもつ》がそなえられている。

夜神楽《よかぐら》の舞《まい》

集落によって例祭日《れいさいび》や演目《えんもく》がちがうが、進行はほぼ同じ。地域《ちいき》の人々《ひとびと》が神々《かみがみ》と一体となる儀式《ぎしき》であり、観賞《かんしょう》する場合は御祝儀《ごしゅうぎ》を持参《じさん》するのがマナー。

ひとロメモ　高千穂《たかちほ》神社の神楽殿《かぐらでん》では、夜神楽《よかぐら》の季節以外《きせついがい》にも「高千穂神楽」を楽しむことができる。お正月をのぞく毎晩《まいばん》20時から約《やく》1時間、夜神楽三十三番のなかの代表的《だいひょうてき》な4演目《えんもく》が演《えん》じられている。

秩父《ちちぶ》夜祭《よまつり》

絢爛豪華《けんらんごうか》な山車《だし》屋台と花火の競演《きょうえん》

有形
無形
ユネスコ

12月2日～3日
埼玉県《さいたま》秩父市《ちちぶ》

ドコドン
ドコドン
とくに12月3日夜が
秩父夜祭《ちちぶよまつり》として有名

夜の屋台と花火

空気が澄《す》んだ冬の花火は、よりあざやかでダイナミック！屋台のぼんぼりも幻想的《げんそうてき》だね。

秩父《ちちぶ》地方の総鎮守《そうちんじゅ》である秩父神社の例《れい》大祭《たいさい》です。注目は2基《き》の笠鉾《かさほこ》と4基《き》の屋台。あわせて6基は釘《くぎ》を使わずに組み立てられた絢爛豪華《けんらんごうか》な山車《だし》で、国の重要有《じゅうようゆう》形民俗文化財《けいみんぞくぶんかざい》に指定されています。

毎年、当番町の屋台に張出舞台《はりだしぶたい》をつけて歌舞伎《かぶき》を演《えん》じる屋台芝居《しばい》が奉納《ほうのう》されます。また、曳《ひ》き廻《まわ》し中に屋台を停《と》めて長《なが》唄《うた》にあわせて子どもたちの日本舞踊《にほんぶよう》の曳《ひ》き踊《おど》り（所作《しょさ》）が披露《ひろう》されます。

祭囃子《まつりばやし》が鳴りひびくなか、笠鉾・屋台のギリ廻《まわ》し（方向転換《てんかん》）やすれちがい、お旅所《たびしょ》への急な団子坂《だんござか》を曳《ひ》き上げる様子は大迫力《だいはくりょく》です。

お祭りの由来

江戸《えど》時代中期、秩父《ちちぶ》は養蚕《ようさん》で栄《さか》え、秩父神社の霜月大祭《しもつきたいさい》（旧暦《きゅうれき》11月3日）に絹織物《きぬおりもの》の市《いち》が立った。市の発展《はってん》とともに笠鉾《かさほこ》と屋台の曳《ひ》き廻《まわ》しが始まり、「お蚕祭《かいこまつ》り」ともよばれていた。

1分でざっくりわかる「秩父夜祭《ちちぶよまつり》」

宵宮《よいみや》では中近《なかちか》・下郷《したごう》の笠鉾《かさほこ》2基《き》は飾《かざ》り置《お》きのみですが、大祭《たいさい》では笠《かさ》をはずして、上町《かみまち》・中町《なかまち》・本町《もとまち》・宮地《みやじ》の屋台4基とともに秩父《ちちぶ》神社の門前まで曳《ひ》きつけられます。そして夕方、妙見菩薩《みょうけんぼさつ》の乗り物とされる亀《かめ》の子石《こいし》（お旅所《たびしょ》）まで神幸行列《しんこうぎょうれつ》のお供《とも》をします。

会場 秩父《ちちぶ》神社周辺《しゅうへん》　**問い合わせ** 秩父市観光協会《かんこうきょうかい》

おもな行事日程《にってい》

12月2日 宵宮《よいみや》

9:00〜20:00 **屋台の曳《ひ》き廻《まわ》し** 各《かく》町内⇒秩父神社

19:00〜20:00 **単発《たんぱつ》花火の打ち上げ**

12月3日 大祭《たいさい》

8:00 **笠鉾《かさほこ》・屋台の曳き廻し** 各町内⇒秩父神社

10:30 **例祭《れいさい》（御本殿《ごほんでん》の儀《ぎ》）** 秩父神社

13:00 **屋台芝居《しばい》** 秩父神社境内《けいだい》

17:30 **神幸祭《しんこうさい》・神幸行列** 秩父神社⇒お旅所（亀《かめ》の子石《こいし》）

19:30〜22:00 **花火大会**

22:00 **お旅所斎場祭《たびしょさいじょうさい》** お旅所（亀の子石）

深夜0:00〜翌日未明《よくじつみめい》 **還御《かんぎょ》**
お旅所（亀の子石）⇒秩父神社、各収蔵庫《しゅうぞうこ》へ

もっと知りたい！ 秩父夜祭《ちちぶよまつり》のロマンス物語《ものがたり》

秩父神社にまつられる天之御中主神《あめのみなかぬしのかみ》（妙見菩薩《みょうけんぼさつ》）は女神《めがみ》です。妙見さまは、秩父神社のご神体《しんたい》である武甲山《ぶこうざん》の男神《おがみ》（龍神《りゅうじん》さま）と恋仲《こいなか》になりました。ところが龍神さまは、近くの諏訪《すわ》神社の女神（お諏訪さま）を正妻《せいさい》としていたのです。そこで二人は夜祭《よまつり》の晩《ばん》だけ、お諏訪さまの許《ゆる》しをえて、亀《かめ》の子石《こいし》の前で会うことができたとつたえられています。

ひと口メモ 秩父《ちちぶ》駅前の「秩父まつり会館」では、昭和《しょうわ》の名工による笠鉾《かさほこ》と屋台《やたい》の複製《ふくせい》を常設展示《じょうせつてんじ》し、その精巧《せいこう》な幕《まく》や彫刻《ちょうこく》を目《ま》のあたりにできる。また、音と映像《えいぞう》によるバーチャル体験《たいげん》もできる。

赤《あ》穂《こう》義《ぎ》士《し》祭《さい》

今によみがえる四十七士《しじゅうしちし》の勇姿《ゆうし》

12月14日
兵庫《ひょうご》県赤穂《あこう》市

義士行列《ぎしぎょうれつ》 パレードのトリをつとめる赤穂四十七士《あこうしじゅうしちし》は公募《こうぼ》で決められ、市民《しみん》みんなでお祭りを盛《も》りあげる。

12月14日は赤穂義士《あこうぎし》の討入《うちい》りの日。

赤穂藩《はん》3代藩主の浅野内匠頭《あさのたくみのかみ》は、江戸《えど》時代の元禄《げんろく》14年3月14日（1701年4月21日）に江戸《えど》城《じょう》内で吉良上野介《きらこうずけのすけ》に斬《き》りつけ、切腹《せっぷく》となりました。一方、吉良は隠居《いんきょ》のみの処分《しょぶん》。これに不満《ふまん》をもった赤穂四《し》十七《じゅうしち》士《し》が翌年《よくねん》12月14日（旧暦《きゅうれき》）に吉良の首をとり、主君の仇《かたき》をとりました。

忠義《ちゅうぎ》をつくしたかれらは「義士《ぎし》」とよばれ、人形浄瑠璃《にんぎょうじょうるり》や歌舞伎《かぶき》となり、『忠臣蔵《ちゅうしんぐら》』として現代《げんだい》に語りつがれています。そして地元赤穂市では毎年、赤穂義士祭《ぎしさい》が開催《かいさい》され、討入り時の義士の姿《すがた》を再現《さいげん》した行列が練《ね》り歩きます。

お祭りの由来 明治維新《めいじいしん》後、赤穂四十七士《あこうしじゅうしちし》をしのんで花岳寺《かがくじ》で「慕義講《ぼぎこう》」が始まり、1900年に「大石遺跡保存《いせきほぞん》会《かい》」が発足《ほっそく》した。この年に赤穂義士祭《ぎしさい》の原型《げんけい》ができたとされ、2023年に第120回をむかえた。

1分でざっくりわかる「赤穂義士祭《あこうぎしさい》」

大石内蔵助《おおいしくらのすけ》屋敷跡《やしきあと》に建《た》つ大石神社から、播州《ばんしゅう》赤穂歴代藩主《あこうれきだいはんしゅ》の菩提寺《ぼだいじ》である花岳寺《かがくじ》まで、約《やく》600mのお城通《しろどお》りを元禄絵巻《げんろくえまき》さながらのパレードが5時間かけて進みます。また、国の史跡《しせき》・名勝《めいしょう》に指定される赤穂城跡《あこうじょうあと》の武家屋敷《ぶけやしき》公園で「忠臣蔵《ちゅうしんぐら》交流物産市《ぶっさんいち》」があります。

会場 赤穂城跡《あこうじょうあと》からお城通《しろどお》り周辺《しゅうへん》　**問い合わせ** 赤穂義士祭奉賛会《ほうさんかい》（赤穂市観光課《かんこうか》内）

オープニング行事

10：00 太鼓《たいこ》・吹奏楽演奏《すいそうがくえんそう》 いきつぎ広場

●江戸城内《えどじょうない》での事件を知らせる藩士《はんし》が一息《ひといき》ついた井戸《いど》がある。

パレード出発時刻《じこく》

10：35 協賛《きょうさん》パレード

11：00 甲冑隊《かっちゅうたい》パレード

11：10 子ども義士行列《ぎしぎょうれつ》

11：30 音楽隊《おんがくたい》パレード

11：40 大名《だいみょう》行列

12：30 南京玉《なんきんたま》すだれ

12：40 東映剣会《とうえいつるぎかい》「殺陣《たて》」

12：55 義士娘人力道中《ぎしむすめじんりきどうちゅう》

13：20 義士伝《ぎしでん》行列

14：05 忠臣蔵《ちゅうしんぐら》名場面の山車《だし》
殿中刃傷《でんちゅうにんじょう》の場／田村邸切腹《たむらていせっぷく》の場
神崎東下《かんざきあずまくだ》りの場／討入《うちい》りの場

14：20 義士行列

●公募《こうぼ》で四十七士《しじゅうしちし》が決められる。

もっと知りたい！ 義士祭《ぎしさい》は各地《かくち》でおこなわれている

赤穂四十七士《あこうしじゅうしちし》の墓所《ぼしょ》となった泉岳寺《せんがくじ》（東京《とうきょう》都港《みなと》区）では12月と4月に墓前法要《ぼぜんほうよう》があり、12月14日午後には町を練《ね》り歩いた義士行列《ぎしぎょうれつ》の到着《とうちゃく》とともに多くの参拝者《さんぱいしゃ》でにぎわいます。また、吉良邸跡地《きらていあとち》の本所松坂町《ほんじょまつざかちょう》公園（東京都墨田《すみだ》区）では赤穂四十七士と吉良家家臣《きらけかしん》がともに供《く》養《よう》されます。このほか、全国ゆかりの地で義士祭がおこなわれています。

ひと口メモ 大石《おおいし》神社の義士宝物殿《ぎしほうもつでん》には、大石内蔵助《くらのすけ》所持の大小刀《だいしょうとう》、討入《うちい》りに使用した采配《さいはい》や掟《おきて》の盃《さかずき》、呼子鳥《よぶことり》笛《ぶえ》、妻《つま》りくの日用品などが展示《てんじ》されている。また、大石邸《おおいしてい》長屋門と庭園がのこり、国の史跡《しせき》。

十日戎《とおかえびす》

“えべっさん”に福《ふく》をいただこう

1月9日〜11日
大阪府《おおさかふ》大阪市

福娘《ふくむすめ》の福笹授与《ふくざさじゅよ》　お参《まい》りは24時間できるが、福娘から福笹に吉兆《きっちょう》をむすんでもらえるのは9時〜21時。

十日戎《とおかえびす》は商売繁盛《しょうばいはんじょう》を願《ねが》うお祭りです。「商業の町」といわれる大阪《おおさか》を中心に関《かん》西《さい》地方でおこなわれ、この今宮戎《いまみやえびす》神社の十日戎、西宮《にしのみや》神社の十日えびす（兵庫《ひょうご》県西宮市）、京都《きょうと》ゑびす神社の十日ゑびす大祭《たいさい》（京都市）が〝日本三大えびす〟として有名です。

今宮神社の十日戎は「商売繁盛で笹《ささ》持ってこい」というかけ声がひびきわたるにぎやかなお祭りです。参拝者《さんぱいしゃ》は「福《ふく》笹《ざさ》」をいただき、福娘《ふくむすめ》に「吉兆《きっちょう》」とよばれる縁起物《えんぎもの》をむすんでもらいます。それを家の神棚《かみだな》などにかざって商売繁盛・開運招福《しょうふく》を願います。

お祭りの由来　今宮戎《いまみやえびす》神社はかつて海岸ぞいにあり、平安《へいあん》時代から宮中《きゅうちゅう》に鮮魚《せんぎょ》を献上《けんじょう》していた。そして浜《はま》の市《いち》の守り神となり、大阪《おおさか》が商業の町として発展《はってん》した江戸《えど》時代中期に、今のような十日戎《とおかえびす》の行事となった。

1分でざっくりわかる「十日戎《とおかえびす》」

1月9日の「宵戎《よいえびす》」には献鯛行列《けんたいぎょうれつ》があり、10日の「本戎《ほんえびす》」に境内《けいだい》で鯛《たい》の朝市《あさいち》が開かれます。
また、10日には芸妓《げいぎ》や福娘《ふくむすめ》、有名人をのせた宝恵駕《ほえかご》行列があり、11日は「残《のこ》り福《ふく》」とよばれます。
地元では“えべっさん”ともよばれ、神社周辺《しゅうへん》にたくさんの屋台が出るのも楽しみです。

会場 今宮戎《いまみやえびす》神社ほか　**問い合わせ** 今宮戎神社

福笹《ふくざさ》にむすぶ吉兆《きっちょう》

神社では「小宝《こだから》」といい、野の幸《さち》・山の幸・海の幸の象徴《しょうちょう》。好きなものを選《えら》び、福《ふく》が逃《に》げないよう、家にまっすぐ帰るのがお約束《やくそく》!

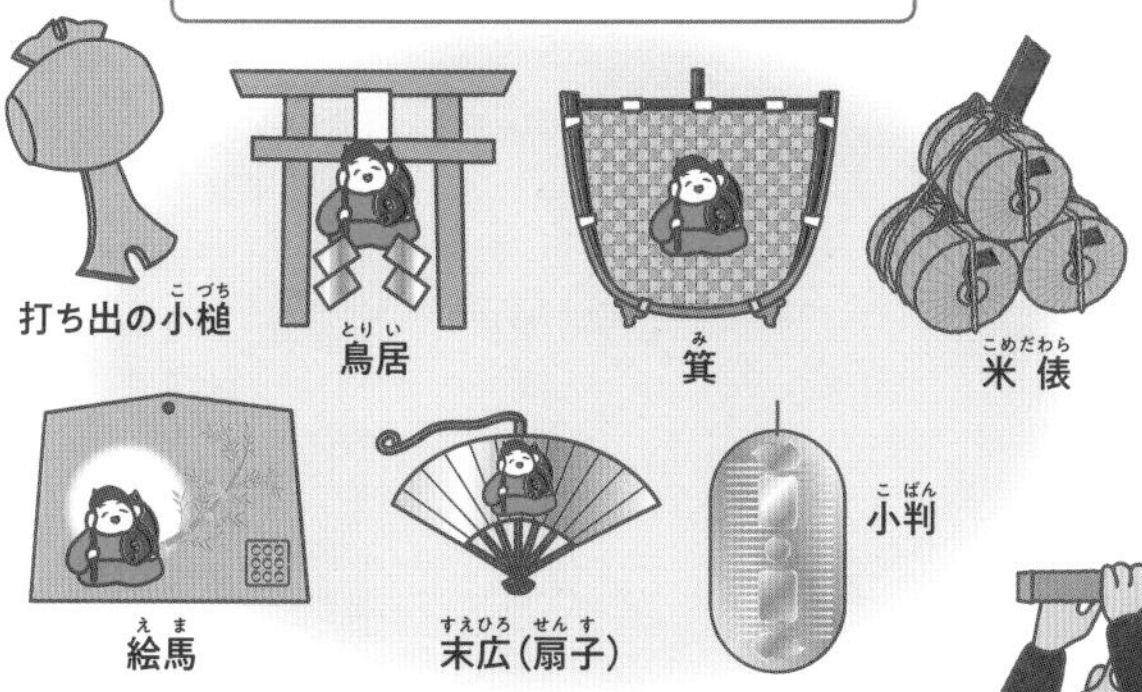

ほかにも 熊手《くまで》　臼《うす》　枡《ます》　宝船《たからぶね》　鯛《たい》
鮑《あわび》熨斗《のし》　銭袋《ぜにぶくろ》（福袋《ふくぶくろ》）　丁銀《ちょうぎん》
分銅《ふんどう》　大福帳《だいふくちょう》　注連縄《しめなわ》　鈴《すず》　烏帽子《えぼし》など

年々《ねんねん》、吉兆《きっちょう》をふやして
いくのもいいよ

宝恵駕行列《ほえかごぎょうれつ》

江戸《えど》時代、船場《せんば》の旦那衆《だんなしゅう》がかざりたてた駕籠《かご》に、ミナミの芸妓衆《げいぎしゅう》がのって参拝《さんぱい》したのが始まり。現在《げんざい》の行列参加者《さんかしゃ》は500人近くになる。

もっと知りたい! 西宮《にしのみや》神社の「十日えびす」

注目は、10日早朝の「開門神事福男選《ふくおとこえら》び」です。午前6時、大太鼓《おおだいこ》を合図に表大門（赤門）が開かれると、参拝者《さんぱいしゃ》が230mはなれた本殿《ほんでん》に向かって、いっせいに「走り参《まい》り」をします。1着から3着までが、その年の「福男」に認定《にんてい》され、女性《じょせい》も参加《さんか》OKだよ。

ひと口メモ 大阪《おおさか》ミナミの繁華街《はんかがい》、道頓堀川《どうとんぼりがわ》にかかる「戎橋《えびすばし》」の名の由来は、今宮戎《いまみやえびす》神社の参道《さんどう》にかけられたことからとされる。江戸《えど》時代、十日戎《とおかえびす》の日には橋詰《はしづめ》に舞台《ぶたい》が建《た》てられたといわれる。

野沢温泉《のざわおんせん》の道祖神祭《どうそじんまつ》り

古式をつたえる小正月《こしょうがつ》の炎《ほのお》の祭典《さいてん》

無形

1月15日

長野県野沢温泉村《ながののざわおんせんむら》

長野《ながの》県北部、野沢温泉《のざわおんせん》の道祖神祭《どうそじんまつ》りは、全国でおこなわれている「どんど焼き」のひとつですが、独特《どくとく》です。

どんど焼きは、小正月《こしょうがつ》（1月15日）に正月飾《かざ》りなどを燃《も》やして豊作《ほうさく》などを祈《いの》る火祭りです。また「道祖神」も、災厄《さいやく》の侵入《しんにゅう》を防《ふせ》いでくれる神さまとして「さえのかみ」などとよばれ、石像《せきぞう》が各地《かくち》の道の辻《つじ》などにまつられています。

野沢温泉村では、男女の道祖神に子授《こさず》けや子どもの成長《せいちょう》などを祈願《きがん》して社殿《しゃでん》をつくり、火つけ役の村民《そんみん》と、火から守る厄年《やくどし》の男衆《おとこしゅう》が攻防戦《こうぼうせん》をおこない、最後《さいご》はすべてを燃やして厄祓《やくばら》いをします。

お祭りの由来　野沢温泉《のざわおんせん》の発見は奈良《なら》時代、道祖神《どうそじん》の碑文《ひぶん》などから江戸《えど》時代後期には火祭りが盛大《せいだい》におこなわれていたようだ。大正《たいしょう》時代まで村内2か所でおこなわれていたが、火災予防《かさいよぼう》のため共同開催《きょうどうかいさい》になった。

1分でざっくりわかる「野沢温泉《のざわおんせん》の道祖神《どうそじん》祭り」

1月13日午後から準備《じゅんび》が始まります。25歳《さい》と42歳の厄年《やくどし》の男衆《おとこしゅう》が道祖神《どうそじん》の社殿《しゃでん》をつくりあげ、
15日夜、火つけ役の村民《そんみん》との迫力《はくりょく》ある攻防戦《こうぼうせん》が見ものです。
そして翌朝《よくちょう》、燃《も》えのこった火で餅《もち》を焼いて食べると一年間健康《けんこう》で暮《く》らせるといわれています。

会場 道祖神場《さえのかみば》　**問い合わせ** 野沢温泉観光協会《かんこうきょうかい》

おもな行事日程《にってい》

1月13日

13：00～夕方　ご神木里曳き《しんぼくさとび》

●前年秋に山から切り出したブナの大木を厄年《やくどし》の男衆《おとこしゅう》が会場まで運ぶ。

1月14日

朝から深夜まで　社殿造り《しゃでんづく》

●中心に5本のご神木を立て、基壇《きだん》の高さ約《やく》7m・広さ約8m四方の社殿を、釘《くぎ》を使わずに組みあげる。

1月15日

昼ころ　社殿完成《かんせい》

19：00　火元もらい

●厄年の代表者が火元の家へ行き、火打石《ひうちいし》でおこした火を大松明《おおたいまつ》にうつしてもらう。

19：30　初灯籠到着《はつどうろうとうちゃく》

●初子《はつご》が生まれた家が奉納《ほうのう》するのが習わし。

20：00　花火・道祖神太鼓《どうそじんだいこ》

20：30　元到着・火つけ役との攻防戦《こうぼうせん》開始

●野沢組惣代《そうだい》、初灯籠奉納者、子ども、おとなの順《じゅん》に火つけ役となり、厄年の男衆が社殿を守る。

22：00　社殿火入れ

●双方《そうほう》の手締《てじ》めによって社殿が燃《も》やされ、初燈籠も次々《つぎつぎ》に燃やされる。

初灯籠《はつどうろう》

家紋《かもん》入りの赤い幕《まく》の下にさまざまな飾《かざ》り、親戚《しんせき》や友人から寄《よ》せられた書初《かきぞめ》をさげる。高さ約《やく》9m。

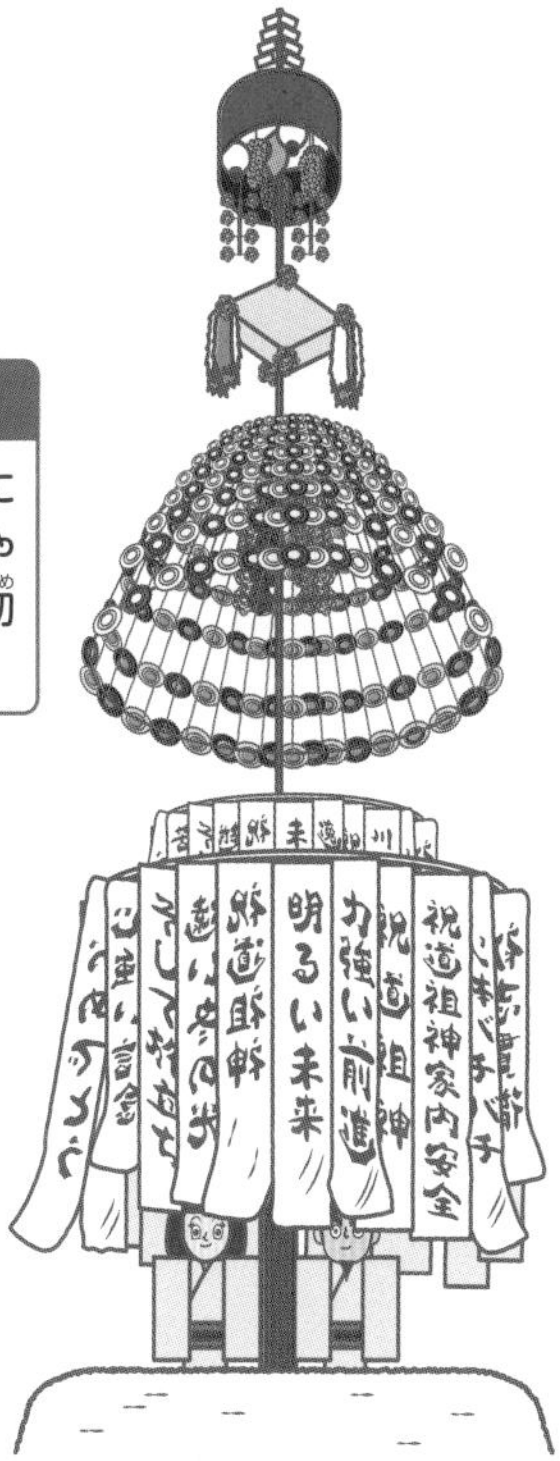

もっと知りたい! 家にまつられる木像道祖神《もくぞうどうそじん》

湯沢温泉村《ゆざわおんせんむら》の家の神棚《かみだな》には、男女1対《つい》の手作りの道祖神がまつられています。これを、道祖神祭りの日には会場の大きなたらいにおさめ、他家のものを持ち帰ります。この風習は「縁結《えんむす》び」とよばれ、良縁《りょうえん》・子宝《こだから》につながるといわれています。また、初子《はつご》のお祝《いわ》い、厄祓《やくばら》いでも信仰《しんこう》されています。

ひとロメモ 市町村名に「温泉《おんせん》」とつくのは野沢《のざわ》温泉村が日本で唯一《ゆいいつ》。古くから湯治場《とうじば》として知られる野沢温泉には、源泉《げんせん》かけ流しの13の外湯《そとゆ》（共同浴場《きょうどうよくじょう》）があり、だれでも無料《むりょう》で利用できる。

さっぽろ雪《ゆき》まつり

世界に知られる雪と氷の祭典《さいてん》

2月上旬《じょうじゅん》
北海道札幌市《ほっかいどうさっぽろし》

大雪像《だいせつぞう》 2023年には開拓使《かいたくし》時代に建《た》てられた「豊平館《ほうへいかん》」に札幌市制《さっぽろしせい》100年の歴史《れきし》が映《うつ》しだされた。

さっぽろ雪まつりは１９５０年に札幌《さっぽろ》市と札幌観光協会《かんこうきょうかい》の主催《しゅさい》でスタート。１９７２年には札幌オリンピックの会場にも巨大雪像《きょだいせつぞう》がつくられ、その盛況《せいきょう》が世界中に発信されると、翌年《よくねん》の来場者数は１６０万人をこえました。

１９７４年からは世界各地《かくち》のチームが参加《さんか》して雪像制作《せいさく》を競《きそ》いあう国際《こくさい》雪像コンクールを開催《かいさい》。１９８３年からは会場も３か所となり、国内外約《やく》２００万人の観客《かんきゃく》を集めてきました。ところが第71回の２０２０年のあとはコロナ禍《か》でオンライン開催となり、２０２３年に第73回として３年ぶりに再開《さいかい》されました。

お祭りの由来

1935年（昭和《しょうわ》10年）からおこなわれていた小樽《おたる》の尋常《じんじょう》小学校の行事がモデルとされる。第1回は、市民《しみん》の雪捨《す》て場《ば》だった大通《おおどおり》7丁目広場に地元の中・高校生が6つの雪像《せつぞう》を設置《せっち》した。

1分でざっくりわかる「さっぽろ雪《ゆき》まつり」

「大通《おおどおり》会場」の大雪像制作《だいせつぞうせいさく》には1955年から自衛隊《じえいたい》が参加《さんか》。また、自衛隊真駒内駐屯地《まこまないちゅうとんち》が1965年に第二会場となり、「さとらんど」をへて2009年から「つどーむ会場」になりました。そして「すすきの会場」は1983年からです。3会場それぞれに趣《おもむき》がちがいます。

会場 大通《おおどおり》会場、すすきの会場、つどーむ会場　**問い合わせ** さっぽろ雪まつり実行委員会（札幌観光協会《さっぽろかんこうきょうかい》内）

海外からの観光客《かんこうきゃく》にも大人気！

大小さまざまな雪像《せつぞう》が見られる「大通《おおどおり》会場」

高さ10mをこえる大雪像を5基設置《きせっち》。2013年からプロジェクションマッピングが始まった。趣向《しゅこう》をこらした市民《しみん》雪像は人気の撮影《さつえい》スポットになっている。

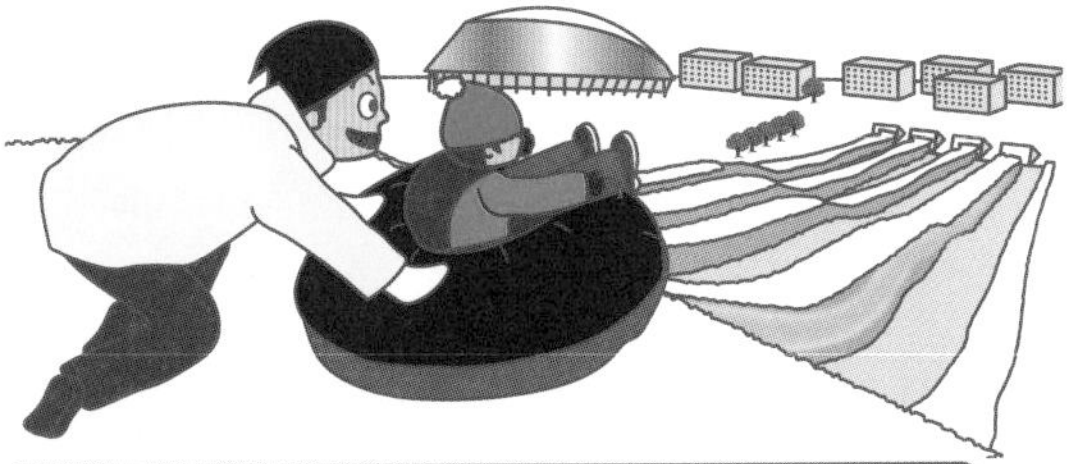

子どもと雪遊びができる「つどーむ会場」

広いグラウンドと屋内ドームをそなえ、アトラクションが盛《も》りだくさん！いちばん人気は、高さ約《やく》10m・長さ約100mのチューブスライダーだ。

氷像《ひょうぞう》がネオンにかがやく「すすきの会場」

透明感《とうめいかん》が魅力《みりょく》の「すすきのアイスワールド」。サケや毛ガニ入りの氷、氷彫刻《こおりちょうこく》コンクール作品が見どころ。ライトアップによってこまかな細工《さいく》がよくわかる。

ひと口メモ 例年《れいねん》、大通《おおどおり》公園6丁目を中心に地元北海道のグルメ屋台が出て、イクラやウニが入ったぜいたくな石《いし》狩鍋《かりなべ》、カニ汁《じる》などが大人気。そして11丁目には世界各国《かっこく》の料理屋台が増加中《ぞうかちゅう》。

なまはげ柴《せ》灯《ど》まつり

山の神の使いの鬼《おに》たちが奇声《きせい》をあげて乱舞《らんぶ》！

無形

ユネスコ

2月第2土曜日
前後3日間
秋田県《あきたけん》男鹿市《おがし》

人間だとわかって
いてもコワイ！
ウォー
ウォー

なまはげ下山《げざん》　山の神の使いであるナマハゲが松明《たいまつ》を持って雪山をおりてきて観客《かんきゃく》の間を練《ね》り歩く。

男鹿《おが》地域《ちいき》では大晦日《おおみそか》の晩《ばん》、集落の若者たちがナマハゲに仮装《かそう》して「泣く子はいねがぁ！」などとさけびながら家々《いえいえ》をめぐります。地域の人々《ひとびと》にとってナマハゲは、翌年《よくねん》の無病《むびょう》息災《そくさい》や五穀豊穣《ごこくほうじょう》、大漁《たいりょう》をもたらす来訪神《らいほうしん》です。

観光客《かんこうきゃく》が、この本物のナマハゲ行事を見ることがむずかしいため始まったのが「なまはげ柴灯《せど》まつり」です。

会場である真山《しんざん》神社は、900年以《い》上《じょう》の歴史《れきし》があり、ナマハゲ発祥《はっしょう》の神社として知られています。お祭りの3夜、境《けい》内《だい》に柴灯《さいとう》（神前のかがり火）がたかれ、ナマハゲを間近で見ることができます。

お祭りの由来　毎年1月3日におこなわれる真山《しんざん》神社の神事「柴灯祭《せどまつり》」と、男鹿《おが》半島全域《ぜんいき》につたわる民俗《みんぞく》行事のナマハゲをあわせて1964年に観光《かんこう》行事として始まり、2023年に第60回をむかえた。

1分でざっくりわかる「なまはげ柴灯《せど》まつり」

「湧出山《ゆうしゅつざん》」とよばれていた真山《しんざん》の神に海上安全と大漁《たいりょう》を祈《いの》る「鎮釜祭《ちんかまさい》」に始まります。この山の神の使いがナマハゲであり、柴灯《さいとう》の火であぶった大餅《おおもち》を献上《けんじょう》する真山《しんざん》神社の神事を中心に、民間《みんかん》のナマハゲ行事の再現《さいげん》や郷土芸能《きょうどげいのう》を見ることができます。

会場 真山《しんざん》神社　**問い合わせ** なまはげ柴灯《せど》まつり実行委員会（男鹿《おが》市観光課《かんこうか》内）

おもな行事日程《にってい》

金曜日　土曜日　日曜日

18：00　鎮釜祭《ちんかまさい》・湯《ゆ》の舞《まい》　広場入口
- 神職《しんしょく》が大釜《おおがま》の湯をかきまわして祈《いの》る湯立《ゆだ》て神事。

18：20　なまはげ入魂《にゅうこん》　参道《さんどう》入口
- ナマハゲとなる若者たちが神職から お面をさずかり、山に入る。

18：35　なまはげ行事再現《さいげん》　神楽殿《かぐらでん》
- 各日《かくじつ》一組の親子が参加《さんか》し、ナマハゲと 家の主人との問答《もんどう》がおこなわれる。

18：55　なまはげ踊《おど》り　柴灯《さいとう》前

19：05　なまはげ太鼓《だいこ》　神楽殿

19：25　なまはげ下山《げざん》・献餅《けんぺい》　広場・参道
- 柴灯《さいとう》の火であぶった護摩餅《ごまのもち》を受けとるために ナマハゲが山からおりてくる。

20：00～20：30　里のなまはげ乱入《らんにゅう》　神楽殿・広場
- お面や衣装《いしょう》がちがう男鹿《おが》半島各地域《かくちいき》のナマハゲが見られる。

なまはげ太鼓《だいこ》

もっと知りたい！ ナマハゲの語源《ごげん》は「ナモミハギ」!?

寒いなか、囲炉裏《いろり》に長時間あたっていると手足がまだらに赤くなります。これを男鹿地域《おがちいき》では「ナモミ」とよび、なまけ者の証拠《しょうこ》とされています。その、なまけ者をいましめる意味の「ナモミハギ=ナモミを剥《は》ぐ」という言葉がなまってナマハゲになったとつたわります。

ひと口メモ　真山《しんざん》神社には真山地区のナマハゲ習俗《しゅうぞく》が学べる「男鹿《おが》真山伝承館《でんしょうかん》」がある。となりの「なまはげ館《かん》」では男鹿半島各地域《かくちいき》のナマハゲ面を150枚以上展示《いじょうてんじ》し、ナマハゲのおみやげ品も販売《はんばい》されている。

鳥《と》羽《ば》の火《ひ》祭《まつ》り

1200年の歴史《れきし》をもつ天下の奇祭《きさい》

無形

2月第2日曜日
愛知県《あいち》西尾市《にしお》

日本一危険《きけん》な火祭りと
いわれているよ

炎《ほのお》に飛《と》びこむネコたち

神男《しんおとこ》と奉仕者《ほうししゃ》たちは、古い幟《のぼり》でつくった胴着《どうぎ》と頭巾《ずきん》をかぶった姿《すがた》からネコとよばれる。

竹と茅《かや》でつくった高さ約《やく》7メートルの「すずみ」とよばれる2基《き》の松明《たいまつ》の燃《も》え具合によって一年の天候《てんこう》や豊凶《ほうきょう》を占《うらな》うお祭り。かつては旧暦《きゅうれき》1月7日におこなわれていました。

鳥羽神明社《とばしんめいしゃ》の脇《わき》を流れる宮西川《みやにしがわ》を境《さかい》に東を「乾地《かんじ》」、西を「福地《ふくじ》」とよび、神男《しんおとこ》（25歳《さい》の厄年《やくどし》の男性《だんせい》）を1名ずつ選《えら》びます。神男と奉仕者《ほうししゃ》（参加者《さんかしゃ》）たちは寒中《かんちゅう》の海で身をきよめたのち、古い幟《のぼり》でつくった装束《しょうぞく》を身にまとって燃えさかる炎《ほのお》に勇敢《ゆうかん》に飛《と》びこみ、すずみの中から「神木《しんぎ》」と「十二縄《じゅうになわ》」を取り出して先に神前にそなえることを競《きそ》います。

お祭りの由来

鳥羽神明社《とばしんめいしゃ》は、平安王朝《へいあんおうちょう》、平城天皇《へいぜいてんのう》の時代（806〜809年）の創建《そうけん》とつたわる。お祭りの正式《せいしき》名称《めいしょう》は「鳥羽大篝火《とばおおかがりび》」。およそ1200年前に始まったとされるが由緒記録《ゆいしょきろく》が焼失《しょうしつ》したため不詳《ふしょう》。

1分でざっくりわかる「鳥羽《とば》の火祭《ひまつ》り」

鳥羽神明社《とばしんめいしゃ》の境内《けいだい》に「すずみ」とよばれる大松明《おおたいまつ》を２基《き》つくり、「乾地《かんじ》」「福地《ふくじ》」の神男《しんおとこ》がくじ引きで取り分を決め、奉仕者《ほうししゃ》とともに勝敗《しょうはい》を競《きそ》います。「福地」が勝つと豊作《ほうさく》とされ、燃《も》え具合によって、煙《けむり》が多ければ雨が多く、竹の爆《は》ぜる音がはげしければ雷《かみなり》が多いといわれます。

会場 鳥羽神明社《とばしんめいしゃ》　**問い合わせ** 西尾観光案内所《にしおかんこうあんないしょ》

おもな行事日程《にってい》

15：00 みそぎ

- 神男《しんおとこ》と奉仕者《ほうししゃ》たちが晒《さらし》の下帯《したおび》に鉢巻《はちまき》、足袋《たび》 姿《すがた》で海に入る。

19：30 神事開始

- 古い幟《のぼり》でつくられた魔除《まよ》けの装束《しょうぞく》を身につけ、お祓《はら》いを受ける。

20：00 すずみに点火

- 火打石《ひうちいし》で種火《たねび》をつくり、２人の神男が同時に点火。太鼓《たいこ》の合図で奉仕者たちがハシゴをかけあがってはげしくゆすり、両地区が神木《しんぎ》と十二縄《じゅうになわ》を取り出して神前にそなえたら神事 終了《しゅうりょう》。

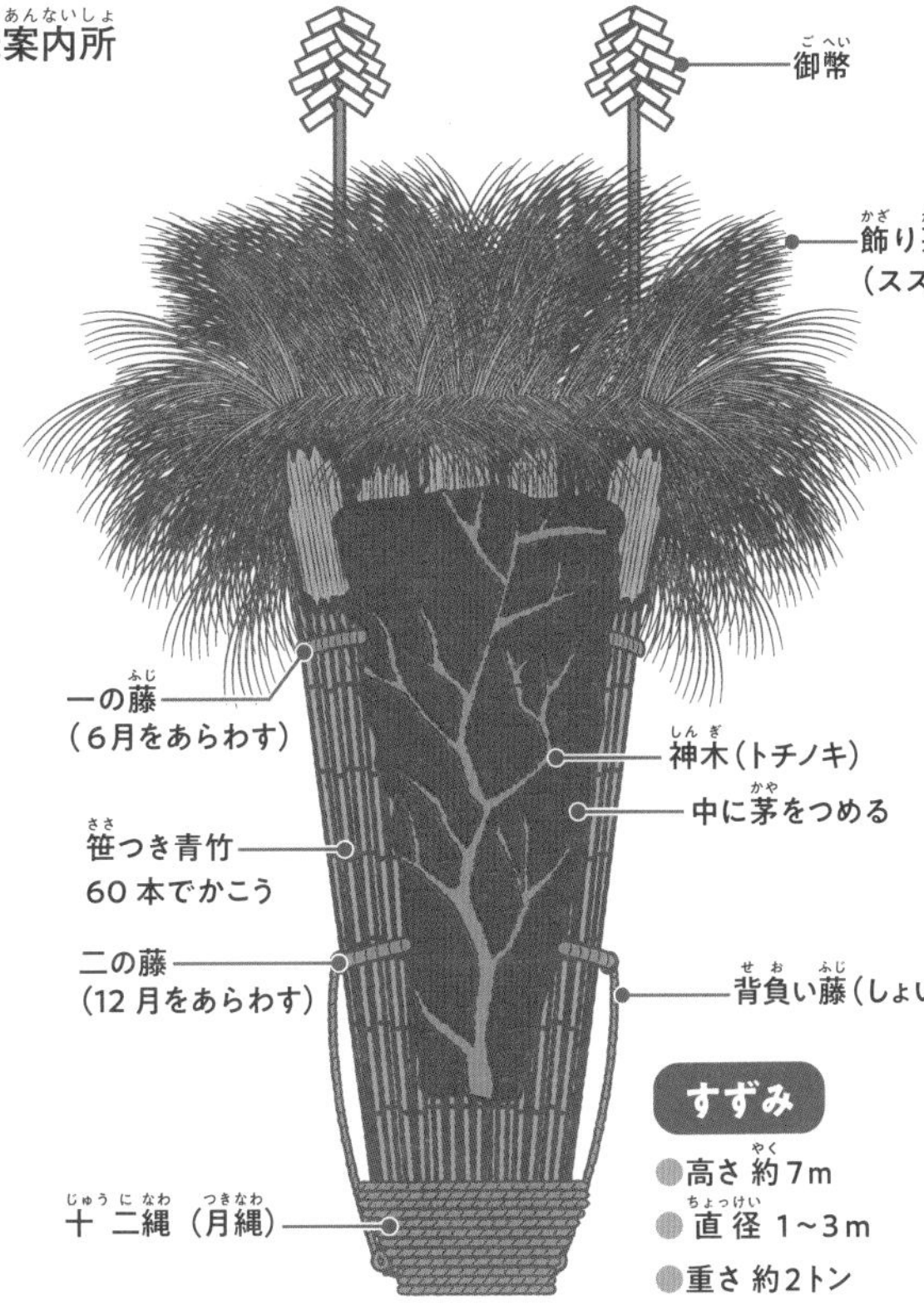

もっと知りたい！ すずみのつくり方

「神木《しんぎ》」を中心に茅《かや》でつつんで青竹で周囲《しゅうい》をかこい、藤蔓《ふじづる》で締《し》めて形ができあがったら、根元に一年の月数をあらわす「十二縄《じゅうになわ》」を巻《ま》きあげます。これを2基《き》つくり、境内《けいだい》に掘《ほ》られた2つの穴に立て、丸太やハシゴで固定《こてい》して完成《かんせい》です。

ひと口メモ 大松明《おおたいまつ》の燃《も》えのこった竹でつくった箸《はし》で食事をすると歯の病気にかからないといわれ、燃《も》えのこりを持ち帰ることができる。鳥羽神明社《とばしんめいしゃ》は“調和”のパワースポットとしても知られている。

八戸《はちのへ》えんぶり

南部《なんぶ》地方に春をよぶ田楽踊《でんがくおど》り

無形

2月17日～20日
青森《あおもり》県八戸《はちのへ》市

えんぶり組《ぐみ》 3～5人の太夫《たゆう》（舞手《まいて》）ほか、お囃子《はやし》・歌い手など総勢《そうぜい》20～30人で構成《こうせい》されている。

「えんぶり」は、旧南部藩《きゅうなんぶはん》の八戸《はちのへ》市周《しゅう》辺《へん》に広くつたわる民俗芸能《みんぞくげいのう》です。

鎌倉《かまくら》時代、南部氏《なんぶし》の祖《そ》が奥州《おうしゅう》の地に来て初《はじ》めての新年、酒に酔《よ》ってさわぐ家来《けらい》たちを、農民《のうみん》の藤九郎《とうくろう》がにぎやかに田植《たうえ》唄《うた》を歌い、農具を手に持って踊《おど》ることでおさめたのが始まりといわれています。

馬の頭をかたどった烏帽子《えぼし》をつけて頭を大きくふる「えんぶり」の舞《まい》には、苗《なえ》づくりから田植え、草取り、稲刈《いねか》りまで一連《いちれん》の稲作《いなさく》の流れが表現《ひょうげん》されています。

えんぶりの舞は「摺《す》り」とよばれます。三十数組のえんぶり組による一斉摺《いっせいず》りは圧巻《あっかん》。お祭りの最大《さいだい》の見どころです。

お祭りの由来

「えんぶり」の語源《ごげん》は、田んぼを平らにならす農具「えぶり」から。凍《い》てつく大地の下でねむっている田の神さまをゆさぶり起こし、田んぼに魂《たましい》をこめる儀式《ぎしき》が、八戸えんぶりの起源《きげん》とされる。

1分でざっくりわかる「八戸《はちのへ》えんぶり」

豊作《ほうさく》への祈《いの》りではなく、「豊作になった、めでたい」と前祝《まえいわ》いするのが特徴《とくちょう》。
もとは小正月《こしょうがつ》の行事で、商店や民家《みんか》の門前で披露《ひろう》する“門付芸《かどづけげい》”として
組ごとに口伝《くでん》で継承《けいしょう》されてきたため、節回《ふしまわ》しや動作などにちがいがあります。

会場 長者山新羅神社《ちょうじゃさんしんら》　**問い合わせ** 八戸観光《かんこう》コンベンション協会《きょうかい》

えんこえんこ

おもな行事日程《にってい》

2月17日

7：00 **奉納《ほうのう》えんぶり** 長者山新羅神社《ちょうじゃさんしんら》

10：00 **えんぶり行列** 長者まつりんぐ広場⇒八戸市中心街《ちゅうしんがい》

10：40〜11：20 **一斉摺《いっせいず》り** 八戸市中心街

12：15 **御前《ごぜん》えんぶり** 市民《しみん》広場

● 八戸藩《はちのへはん》の殿様《とのさま》の御前で披露されていたことから。
19日と20日にも一般公開《いっぱんこうかい》される。

18：00／19：00／20：00 **かがり火えんぶり** 市民広場

● 20日まで毎日3回おこなわれ、幻想的《げんそうてき》な雰囲気《ふんいき》が楽しめる。

2月17日 ▶ 2月20日

● 史跡根城《しせきねじょう》えんぶり、八戸市公会堂《こうかいどう》えんぶり公演《こうえん》、
更上閣《こうじょうかく》お庭えんぶりが有料《ゆうりょう》で開催《かいさい》されている。

松《まつ》の舞《まい》

もっと知りたい！ 子どもたちのかわいらしい祝福芸《しゅくふくげい》

太夫《たゆう》の舞《まい》の合間に披露《ひろう》される、子どもたちの祝福芸も見どころです。鈴《すず》と五円玉がついた銭《ぜに》太鼓《だいこ》を持って回しながら舞《ま》う「えんこえんこ」、農作業の休憩中《きゅうけいちゅう》、松《まつ》の枝を持って舞った「松の舞」、釣竿《つりざお》を持つ「えびす舞」、小槌《こづち》を持つ「大黒舞《だいこくまい》」があります。

ひとロメモ
毎年2月〜3月限定提供《げんていていきょう》の「八戸《はちのへ》ブイヤベース」で温まるのがおすすめ。八戸産《さん》の魚介《ぎょかい》を4種類以上《しゅるいいじょう》使用し、ニンニクやトマト、ハーブ類も地元産にこだわっている。のこりスープを生かした料理つき。

西《さい》大《だい》寺《じ》会《え》陽《よう》

室町《むろまち》時代から500年以上《いじょう》つづく〝はだか祭り〟

無形

2月第3土曜日
岡山《おかやま》県岡山市

褌姿《ふんどしすがた》の男たちが
宝木《しんぎ》を奪《うば》いあう

宝木争奪戦《しんぎそうだつせん》 宝木をえた者は「福男《ふくおとこ》」とよばれ、幸福が約束《やくそく》される。

西大寺会陽《さいだいじえよう》は、「牛玉《ごおう》西大寺寶印《ほういん》」と書かれた牛玉札《ごおうふだ》を巻《ま》きつけた宝木《しんぎ》を褌《ふんどし》姿《すがた》の男たちが奪《うば》いあう行事です。

西大寺では奈良《なら》時代から新年に国家安《あん》泰《たい》・五穀豊穣《ごこくほうじょう》・万民豊楽《ばんみんほうらく》を祈《いの》る修正会《しゅしょうえ》が14日間つとめられ、結願《けちがん》の日（最終《さいしゅう》日《び》）に牛玉札が配られていました。室町《むろまち》時代の1510年、牛玉札を求《もと》めて人々《ひとびと》が殺到《さっとう》したため、やむなく木片《もくへん》に巻きつけて投げあたえたのが西大寺〝はだか祭り〟の始まりです。

裸衆《はだかしゅう》が足を踏《ふ》みしめて大地を固《かた》める地《ち》押《お》しによって邪気《じゃき》がはらわれるとされ、境内《けいだい》は大勢《おおぜい》の観客《かんきゃく》であふれかえります。

お祭りの由来 「会陽《えよう》」の語源《ごげん》は、困難《こんなん》できびしい冬が過《す》ぎ、やがて陽春《ようしゅん》をむかえるという“吉兆《きっちょう》”を意味し、牛玉札《ごおうふだ》を授与《じゅよ》する会陽の行事は現在《げんざい》も岡山県南部のいくつかの寺社にのこっている。

1分でざっくりわかる「西大寺会陽《さいだいじえよう》」

20時ころから「ワッショイ！」のかけ声とともに褌姿《ふんどしすがた》の男《おとこ》たちが集まりはじめ、垢離取場《こりとりば》で身をきよめ、本尊《ほんぞん》の千手観音《せんじゅかんのん》と牛玉所大権現《ごおうしょだいごんげん》に参拝《さんぱい》したのち四本柱《しほんばしら》への巡行《じゅんこう》を3回くりかえします。そして本堂《ほんどう》の大床《おおゆか》でもみあいながら宝木《しんぎ》が投げ入れられるのを待ちます。

会場 西大寺《さいだいじ》（観音院《かんのんいん》）　**問い合わせ** 西大寺会陽奉賛会《えようほうさんかい》（岡山商工会議所《しょうこうかいぎしょ》西大寺支所《ししょ》内）

おもな行事日程《にってい》

15：20 少年はだか祭り

● 学年ごとに宝餅《たからもち》、五福筒《ごふくづつ》、宝筒《たからづつ》の争奪戦《そうだつせん》がくりひろげられる。

18：30／19：30 会陽太鼓《えようだいこ》

● 裸衆《はだかしゅう》の士気《しき》を高め、行事の安全を願《ねが》う目的《もくてき》で女性《じょせい》たちが打ち鳴らす。

22：00 宝木争奪戦《しんぎそうだつせん》

● すべての灯《あか》りが消され、本堂《ほんどう》の御福窓《ごふくまど》から宝木2組が投げ入れられる。

会陽太鼓《えようだいこ》

はだか祭りの会場

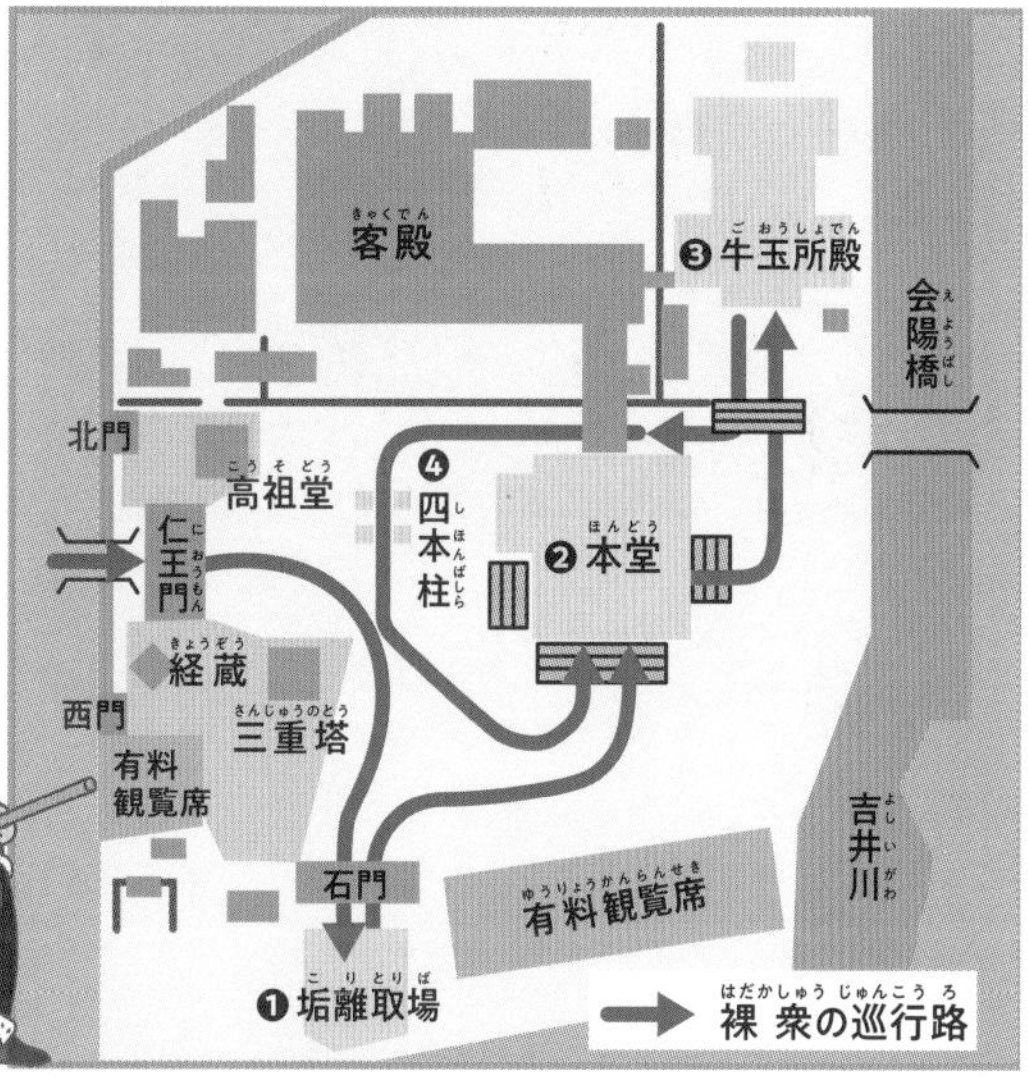

❶ 身をきよめ、宝木《しんぎ》をさずかれるように願《ねが》う。
❷ 千手観音《せんじゅかんのん》に参拝《さんぱい》する。
❸ 牛玉所大権現《ごおうしょだいごんげん》に参拝する。
❹ 備前《びぜん》（岡山県南東部）一帯《いったい》の疫病神《やくびょうがみ》を封《ふう》じこめた結界《けっかい》を通る。

もっと知りたい！ 裸衆《はだかしゅう》の守護神《しゅごしん》「牛玉所大権現《ごおうしょだいごんげん》」

牛玉所大権現は秘仏《ひぶつ》。神仏習合《しんぶつしゅうごう》の神で本地仏《ほんじぶつ》は密教《みっきょう》の五大明王《ごだいみょうおう》です。疫病《えきびょう》をつかさどる牛頭天王《ごずてんのう》ともされ、「牛玉」は生薬《しょうやく》とされる牛の胆石《たんせき》「牛黄《ごおう》」に由来し、はだか祭りに参加《さんか》すると風邪《かぜ》をひかないといわれています。仏教《ぶっきょう》では万物《ばんぶつ》を生みだす「宝珠《ほうしゅ》」を意味します。

ひと口メモ

「はだか祭りに参加《さんか》した裸衆《はだかしゅう》の褌《ふんどし》を妊婦《にんぷ》の腹帯《はらおび》にすれば元気な子が産《う》まれる」「本堂《ほんどう》の大床《おおゆか》についた土を、お祭りの翌日《よくじつ》に田畑にまくと豊作《ほうさく》になる」といわれている。

長崎《ながさき》ランタンフェスティバル

幻想的《げんそうてき》な灯《あか》りが街《まち》をうめつくす

旧暦《きゅうれき》1月1日～15日
長崎県長崎市《ながさきけんながさきし》

中国ランタン装飾《そうしょく》 新地中華街《ちゅうかがい》をはじめ、長崎の街《まち》が極彩色《ごくさいしき》のランタンで22時までいろどられる。

長崎《ながさき》ランタンフェスティバルは、中国の旧正月《きゅうしょうがつ》「春節《しゅんせつ》」にあわせて開幕《かいまく》し、お正月の終わりとされる旧暦《きゅうれき》1月15日の「元宵節《げんしょうせつ》」までおこなわれます。

約《やく》2週間、長崎の街《まち》が1万5000個ものランタン（中国伝統工芸《でんとうこうげい》の提灯《ちょうちん》）やいろいろなテーマでつくられた巨大《きょだい》なオブジェ（創作物《そうさくぶつ》）でかざられます。なかでも動物のオブジェは子どもたちに大人気です。また、会場の色を統一《とういつ》し、ピンクや黄色にそまるのも魅力《みりょく》です。

イベントも盛《も》りだくさん。新地中華《しんちちゅうか》街《がい》会場や中央公園会場を中心にフェスティバル期間中開催《かいさい》されています。

お祭りの由来 1987年に長崎新地中華街《ながさきしんちちゅうかがい》が振興《しんこう》イベントとして、春節《しゅんせつ》と元宵節《げんしょうせつ》をあわせた「灯籠祭《とうろうまつり》」を開催《かいさい》したのが始まり。1994年から現在《げんざい》の名称《めいしょう》とし、長崎市あげての盛大《せいだい》なお祭りになった。

1分でざっくりわかる「長崎《ながさき》ランタンフェスティバル」

開催初日《かいさいしょにち》の18時、カウントダウンとともにランタンや巨大《きょだい》オブジェにいっせいに灯《あか》りがともり、
2週間におよぶフェスティバルがスタート。たくさんあるイベントのなかで、
最高《さいこう》に盛《も》りあがるのは、有名人が皇帝《こうてい》・皇后《こうごう》となって登場する「皇帝パレード」です。

会場 長崎新地《ながさきしんち》中華街《ちゅうかがい》ほか市内各所《かくしょ》　**問い合わせ** 長崎市コールセンター「あじさいコール」

おもな行事日程《にってい》

旧暦《きゅうれき》1月15日
17:30〜18:00 点灯式《てんとう》
新地中華街会場（湊公園）、中央公園会場

1回めの日曜日
13:00〜16:00 媽祖行列《まそぎょうれつ》（菩薩揚《ほさあ》げ）
孔子廟《こうしびょう》⇒新地中華街会場⇒唐人屋敷⇒
浜《はま》んまち会場⇒めがね橋⇒中央公園会場

2回めの日曜日
13:15〜16:20 媽祖行列（菩薩乗せ）
中央公園会場⇒めがね橋⇒浜んまち会場⇒
唐人屋敷⇒新地中華街会場⇒孔子廟

媽祖行列《まそぎょうれつ》

江戸《えど》時代、長崎に入港した唐船《とうせん》の船乗りが航海《こうかい》安全の女神《めがみ》「媽祖」をお堂にまつり、出航《しゅっこう》時にまた船に乗せる行列を再現《さいげん》。

最後《さいご》の土曜日
皇帝《こうてい》パレード
14:00 中央公園会場⇒浜んまち会場
16:00 新地中華街会場
●中国清朝《しんちょう》時代、お正月に皇帝・皇后が街《まち》へ出て人々《ひとびと》と新年を祝《いわ》う様子をイメージしている。

おもな会場とイベント

新地中華街《ちゅうかがい》会場（湊《みなと》公園）	龍踊《じゃおど》り、二胡演奏《にこえんそう》、エイサー、中国変面《へんめん》ショーほか
中央公園会場	
孔子廟《こうしびょう》	中国変面ショー、二胡演奏、エイサーほか
唐人屋敷《とうじんやしき》	少林寺拳法《しょうりんじけんぽう》、太極拳《たいきょくけん》、二胡演奏ほか
興福寺《こうふくじ》	龍踊り、エイサーほか

ひと口メモ 旧暦《きゅうれき》1月15日の「元宵節《げんしょうせつ》」は満月《まんげつ》。中国では、天界にすむ精霊《せいれい》が空を飛《と》ぶ様子を見ることができると信じられ、満月に雲がかかっても精霊を見つけやすいようにランタンをともす風習が生まれた。

天念寺修正鬼会《てんねんじしゅじょうおにえ》

神仏習合《しんぶつしゅうごう》の鬼《おに》が幸せをとどけてくれる

無形

旧暦《きゅうれき》1月7日
大分《おおいた》県豊後高田《ぶんごたかだ》市

火合わせ 赤鬼は災払鬼《さいはらいおに》（愛染明王《あいぜんみょうおう》の化身《けしん》）、黒鬼は荒鬼《あらおに》（不動明王《ふどうみょうおう》の化身）とされる。

大分《おおいた》県北東部の国東《くにさき》半島は『鬼《おに》が仏《ほとけ》になった里「くにさき」』として、文化庁《ぶんかちょう》の日本遺産《いさん》に認定《にんてい》されています。

国東半島一帯《いったい》に点在《てんざい》する寺院群《じいんぐん》は、かつて「六郷満山《ろくごうまんざん》」とよばれ、「修正鬼会《しゅじょうおにえ》」が伝承《でんしょう》されていました。しかし現在《げんざい》は、天念寺《てんねんじ》（豊後高田《ぶんごたかだ》市）のほか、岩戸寺《いわとじ》と成仏寺《じょうぶつじ》（ともに国東《くにさき》市）が交代でおこなっているのみです。

鬼は一般的《いっぱんてき》にはおそれられる存在《そんざい》です。節分《せつぶん》の豆まきでも「鬼は外」と追いやられます。ところが六郷満山の鬼は、仏《ほとけ》の化身《けしん》として、この地に春をよび、幸運をもたらしてくれる存在です。

お祭りの由来 国東《くにさき》半島の修正鬼会《しゅじょうおにえ》は、八幡神《はちまんしん》の化身《けしん》とされる仁聞菩薩《にんもんぼさつ》が奈良《なら》時代に六郷満山《ろくごうまんざん》の寺院を開き、国家安穏《あんのん》・五穀豊穣《ごこくほうじょう》・万民快楽《ばんみんけらく》のため、僧《そう》たちに経巻《きょうかん》『鬼会式《おにえしき》』6巻をさずけて始まった。

1分でざっくりわかる「天念寺修正鬼会《てんねんじしゅじょうおにえ》」

天念寺には住職《じゅうしょく》がいないため、近隣《きんりん》のお寺の僧《そう》たちによって継承《けいしょう》されています。

夜、僧たちは金襴《きんらん》の袈裟《けさ》をつけて読経《どきょう》したのち、黒の道服《どうふく》に着がえて鬼《おに》をむかえます。

参拝者《さんぱいしゃ》は鬼のたたき祓《ばら》い（加持《かじ》）を受けると、一年間健康《けんこう》ですごせるといわれています。

会場 天念寺《てんねんじ》　**問い合わせ** 豊後高田《ぶんごたかだ》市観光協会《かんこうきょうかい》

おもな行事日程《にってい》

15：00 昼のおつとめ

19：00 垢離取《こうりと》り

●鬼になる僧２名とテイレシ（介添人《かいぞえにん》）６名が、川中不動《かわなかふどう》（磨崖仏《まがいぶつ》）の前の川で身をきよめる。

20：00 大松明献灯《おおたいまつけんとう》・夜のおつとめ

●大松明３本を境内《けいだい》に立て、講堂《こうどう》で「鬼会節《おにえぶし》」とよばれる独特《どくとく》の節《ふし》をつけて読経《どきょう》される。

21：20 米華《まいけ》・香水《こうずい》・四方固《しほうがた》め

●黒の道服に着がえた僧たちが鬼をむかえるための所作《しょさ》をおこなう。参拝者は、まかれた米を食べると健康《けんこう》になるといわれている。

22：00 鈴鬼《すずおに》の登場

●男女の面をつけて鈴を持った鈴鬼（祖霊《それい》）が鬼招《おにまね》きの舞《まい》をおこなう。

22：30 赤鬼《あかおに》・黒鬼《くろおに》の登場

●テイレシに背負《せお》われて登場した鬼たちが燃《も》えさかる松明を持ってあばれまわり、火合わせをおこなう。

23：30 鬼《おに》の目餅《めもち》まき・鬼鎮《しず》め

●院主《いんじゅ》が“鬼の目”に見立てた餅をまき、拾った人は鬼に餅を見せながら逃《に》げまわり、鬼が追いかけて松明で背中《せなか》などをたたく。鬼鎮めがおこなわれ、鬼はテイレシに背負われて退場《たいじょう》する。

たたき祓《はら》い

ひと口メモ 天念寺《てんねんじ》となりの「鬼会《おにえ》の里 歴史資料館《れきししりょうかん》」で、天念寺修正鬼会《てんねんじしゅじょうおにえ》の臨場感《りんじょうかん》あふれる映像《えいぞう》が見られ、鬼の面が展示《てんじ》されている。また、周辺《しゅうへん》は「天念寺耶馬《やば》」とよばれ、奇岩《きがん》がそびえたつ国の名勝。

毘《び》沙《しゃ》門《もん》天《てん》大《たい》祭《さい》

福徳万倍《ふくとくまんばい》！ 日本一のだるま市

旧暦《きゅうれき》1月7日〜9日
静岡《しずおか》県富士《ふじ》市

ダルマおたきあげ 家にあるさまざまな古いダルマをおたきあげしていただき、祈願成就《きがんじょうじゅ》に感謝《かんしゃ》する。

富士《ふじ》市の妙法寺《みょうほうじ》の毘沙門天大祭《びしゃもんてんたいさい》は、高《たか》崎《さき》だるま市《いち》（1月1日・2日／群馬《ぐんま》県高崎市）、深大寺《じんだいじ》だるま市（3月3日・4日／東京《とうきょう》都調布《ちょうふ》市）とともに〝日本三大だるま市〟として有名です。地元の人たちからは「毘沙門《びしゃもん》さん」とよばれ、親しまれています。

妙法寺の鎮守《ちんじゅ》である毘沙門天像《ぞう》は、聖《しょう》徳太子《とくたいし》作「太子両肩上湧現《りょうけんじょうゆうげん》の尊像《そんぞう》」とつたわり、聖徳太子の肩《かた》の上に毘沙門天が立つ、めずらしい様式です。この毘沙門さまは、旧暦《きゅうれき》1月7日から9日の3日間だけ、この世に降《お》りて人々《ひとびと》の願いを聞いてくれるといわれています。

お祭りの由来 妙法寺《みょうほうじ》の毘沙門天大祭《びしゃもんてんたいさい》は紀州徳川家《きしゅうとくがわけ》の信仰《しんこう》を受けて江戸《えど》時代に始まり、毘沙門天像《ぞう》は平安《へいあん》時代末期《まっき》から富士《ふじ》登山の修験者《しゅげんじゃ》が田子《たご》の浦《うら》で身をきよめた道場にまつられていたものと推定《すいてい》される。

1分でざっくりわかる「毘沙門天大祭《びしゃもんてんたいさい》」

大祭期間中、毘沙門天像《びしゃもんてんぞう》を直《じか》に拝《おが》むと「福徳万倍《ふくとくまんばい》の功徳《くどく》あり」とされます。

本堂で秘法《ひほう》「炎《ほのお》の祈祷《きとう》」がおこなわれ、境内《けいだい》では恒例《こうれい》のだるま市《いち》と植木市が開かれます。

全国各地《かくち》からダルマや熊手《くまで》が集まり、この市で買った植木は縁起《えんぎ》がよいといわれています。

会場 妙法寺《みょうほうじ》　**問い合わせ** 妙法寺

もっと知りたい！ 富士《ふじ》の「鈴川《すずかわ》だるま」

毘沙門天大祭《びしゃもんてんたいさい》のだるま市《いち》は明治《めいじ》時代中期、静岡《しずおか》市の張子玩具店《はりこがんぐてん》がおもちゃとともに全国各地《かくち》のダルマを売ったのが始まりとつたわります。その大ヒットを見て地元富士市にダルマづくりが広まり、だるま市はさらに大きく発展《はってん》しました。鈴川だるまは、ヒゲがひかえめで、やさしい顔をしているのが特徴《とくちょう》です。また、どちらの目を先に入れるかは年によってちがい、妙法寺《みょうほうじ》で開眼祈祷《かいげんきとう》（目入れ）をしていただくのが習わしです。

ひと口メモ　妙法寺《みょうほうじ》では「洞窟《どうくつ》七福神めぐり」ができる。全長約《やく》150mの地下道をめぐり、スタンプラリー方式で台紙に福印《ふくいん》を押《お》していき、インド・中国・日本の七福神を一度にお参《まい》りすれば開運まちがいなし!?

東《とう》大《だい》寺《じ》修《しゅ》二《に》会《え》

一度も途《と》絶《だ》えたことがない水と火の祭り

3月1日～14日
奈良《なら》県奈良市

火《ひ》の粉《こ》を散《ち》らす大松明《おおたいまつ》
通常《つうじょう》、長さ約《やく》6m、重さ約40kgの大松明を「童子《どうじ》」とよばれる僧《そう》がかかえてかけぬける。

東大寺《とうだいじ》の「練行衆《れんぎょうしゅう》」とよばれる11人の僧《そう》が二月堂《にがつどう》にこもり、人々《ひとびと》の罪《つみ》やケガレがきよめられ、幸せに暮《く》らせるように本尊《ほんぞん》の十一面観音菩薩《じゅういちめんかんのんぼさつ》に祈《いの》る行事です。

旧暦《きゅうれき》2月に修《しゅう》する法会《ほうえ》として「修二会《しゅにえ》」とよばれ、二月堂の名の由来でもあり、現在《げんざい》は3月1日から14日までつとめられています。毎夜、練行衆を先導《せんどう》するために松明《たいまつ》がたかれ、この火《ひ》の粉《こ》をあびると一年間無事《ぶじ》にすごせるといわれます。

12日には特大《とくだい》の籠松明《かごたいまつ》がたかれ、その深夜、本尊にそなえる香水《こうずい》を「若狭井《わかさい》」とよばれる井戸《いど》からくみあげる儀式《ぎしき》から「お水取り」とよばれています。

お祭りの由来
奈良《なら》時代、東大寺初代別当《とうだいじしょだいべっとう》の良弁《ろうべん》の高弟である実忠《じっちゅう》が、京都《きょうと》の笠置山《かさぎやま》で修行中《しゅぎょうちゅう》に天界の十一面悔過法要《じゅういちめんけかほうよう》を見て、752年4月の東大寺大仏開眼《だいぶつかいげん》に先立つ2月に修二会《しゅにえ》を始めたとされる。

1分でざっくりわかる「東大寺修二会《とうだいじしゅにえ》」

東大寺修二会《しゅにえ》の正式名称《せいしきめいしょう》は「十一面悔過法要《じゅういちめんけかほうよう》」といい、練行衆《れんぎょうしゅう》が毎日6回、「日中《にっちゅう》」「日没《にちもつ》」「初夜《しょや》」「半夜《はんや》」「後夜《ごや》」「晨朝《じんじょう》」のおつとめをします。
そして3月12日には「お水取り」があり、14日まで深夜におこなわれるのが「達陀《だったん》」の儀式《ぎしき》です。

会場 東大寺二月堂《とうだいじにがつどう》　**問い合わせ** 東大寺

おもな行事日程《にってい》

3月1日 ▶ 3月11日
- 19:00 **お松明《たいまつ》**（10本・約《やく》20分）

3月5日 ▶ 3月7日
- 19:00 **お松明**（10本・約20分）
- 23:00 **走りの行法《ぎょうぼう》**

3月12日
- 19:30 **籠松明《かごたいまつ》**（11本・約45分）
- 23:00 **走りの行法**
- 24:00 **お水取り**
- 深夜3:00 **達陀《だったん》**

3月13日
- 19:00 **お松明**（10本・約20分）
- 22:00 **走りの行法**
- 23:00 **達陀**

3月14日
- 18:30 **尻付《しりつ》け松明**（10本・約10分）
- 22:00 **走りの行法**
- 23:00 **達陀**
- 未明《みめい》 **満行《まんぎょう》**

華麗《かれい》で幻想的《げんそうてき》な「達陀《だったん》」の儀式《ぎしき》

「達陀帽《だったんぼう》」という異国風《いこくふう》の帽子《ぼうし》をかぶった八天（火天《かてん》・水天《すいてん》・芥子天《けしてん》・楊枝天《ようじてん》・鈴天《すずてん》・太刀天《だいとうてん》・法螺天《ほらてん》・錫杖天《しゃくじょうてん》）が登場する。火天が大松明《おおたいまつ》を引き廻《まわ》し、洒水器《しゃすいき》を持った水天と踊《おど》るのが最大《さいだい》の見どころ。これは鬼《おに》を追いはらうためとされる。

もっと知りたい！ 若狭国《わかさのくに》一の宮神宮寺《じんぐうじ》の「お水送り」

福井《ふくい》県小浜《おばま》市の神宮寺では毎年3月2日、鵜《う》の瀬《せ》から遠敷川《おにゅうがわ》へ香水《こうずい》をそそぐ「お水送り」の神事があり、その香水が東大寺の若狭井《わかさい》に届《とど》くといわれています。これは、実忠《じっちゅう》が752年に始めた東大寺修二会《しゅにえ》で全国の神々《かみがみ》の来臨《らいりん》を願《ねが》った際《さい》、若狭の遠敷明神《おにゅうみょうじん》が釣《つ》りに夢中《むちゅう》で遅刻《ちこく》したため、香水を送ることを約束《やくそく》したのが起源《きげん》とされます。

ひと口メモ 修二会《しゅにえ》の満行《まんぎょう》の3月15日午前、参拝者《さんぱいしゃ》のために「達陀帽《だったんぼう》いただかせ」という行事がある。「達陀《だったん》」の儀式《ぎしき》で使用した達陀帽には呪力《じゅりょく》がこもり、子どもにかぶせると健《すこ》やかに育つといわれている。

友だちに教えたくなる お祭り豆《まめ》知識《ちしき》⑤

田の神さまをもてなす「あえのこと」

無形　ユネスコ

石川県奥能登《おくのと》地方の珠洲《すず》市・輪島《わじま》市・能登町《のとちょう》・穴水町《あなみずまち》にかけて、古くからおこなわれている農耕儀礼《のうこうぎれい》です。毎年収穫《しゅうかく》後の12月5日、田の神さまを自宅《じたく》にむかえいれ、豊作《ほうさく》の感謝《かんしゃ》をこめて風呂《ふろ》に入れ、ごちそうをふるまいます。そして耕作《こうさく》開始前の翌年《よくねん》2月9日に豊作を祈願《きがん》してふたたび風呂に入れ、ごちそうをふるまい、田の神さまを家から田に送りだします。

田の神さまは目が不自由《ふじゆう》であるともいわれ、主人は所作《しょさ》のいちいちを言葉にして、あたかも田の神さまがその場にいるかのようにふるまうのが大きな特徴《とくちょう》です。

また、田の神さまは夫婦《ふうふ》とされているため、地元の海の幸《さち》・山の幸をのせた神膳《しんぜん》はもとより、盃《さかずき》や箸《はし》などを2組ずつ用意するのがしきたりです。家の主人が中心となって各家《かくいえ》の奥座敷《おくざしき》でとりおこなわれるため、家々独自《いえいえどくじ》にしきたりが受けつがれています。子どもたちは、親の仕《し》草《ぐさ》を見て祭礼の段取《だんど》りを自然《しぜん》とおぼえていきます。

饗《あえ》の事《こと》＝
もてなしのお祭り
を意味するよ

「ユネスコ無形文化遺産《むけいぶんかいさん》」にみる日本の民俗芸能《みんぞくげいのう》

ユネスコ無形文化遺産は、その国の伝統的《でんとうてき》な工芸技術《こうげいぎじゅつ》や芸能《げいのう》、儀式《ぎしき》、お祭りなど、形がない文化を登録対象《とうろくたいしょう》としています。日本では文化庁《ぶんかちょう》が推薦《すいせん》した22件《けん》が登録されています。これらはすべて国の重要無形民俗文化財《じゅうようむけいみんぞくぶんかざい》です。そのなかからお祭り関連《かんれん》だけを集めたのが140ページの表です。また、ユネスコ無形文化遺産ではない、この本で紹介《しょうかい》しているお祭りは右下の表の12件です。

日本のユネスコ無形文化遺産

ユネスコ遺産名《いさんめい》	登録年《とうろくねん》
能楽《のうがく》	2008年
人形浄瑠璃文楽《にんぎょうじょうるりぶんらく》	2008年
歌舞伎《かぶき》	2008年
雅楽《ががく》	2009年
小千谷縮《おぢやちぢみ》・越後上布《えちごじょうふ》(新潟県《にいがた》)	2009年
奥能登《おくのと》のあえのこと(石川県《いしかわ》)→ 140ページ	2009年
早池峰神楽《はやちねかぐら》(岩手県《いわて》)→ 140ページ	2009年
秋保《あきう》の田植踊《たうえおどり》(宮城県《みやぎ》)→ 140ページ	2009年
大日堂舞楽《だいにちどうぶがく》(秋田県《あきた》)→ 140ページ	2009年
題目立《だいもくたて》(奈良県《なら》)→ 140ページ	2009年
アイヌ古式舞踊《こしきぶよう》(北海道《ほっかいどう》)	2009年
組踊《くみおどり》(沖縄県《おきなわ》)	2010年
結城紬《ゆうきつむぎ》(茨城県《いばらき》・栃木県《とちぎ》)	2010年
壬生《みぶ》の花田植《はなたうえ》(広島県《ひろしま》)→ 140ページ	2011年
佐陀神能《さだしんのう》(島根県《しまね》)→ 140ページ	2011年
那智《なち》の田楽《でんがく》(和歌山県《わかやま》)→ 140ページ	2012年
和食:日本人の伝統的《でんとうてき》な食文化	2013年
和紙:日本の手漉和紙技術《てすきわしぎじゅつ》	2014年
山《やま》・鉾《ほこ》・屋台《やたい》行事→ 140ページ・141ページ	2016年
来訪神《らいほうしん》:仮面《かめん》・仮装《かそう》の神々《かみがみ》→ 142ページ	2018年
伝統建築工匠《でんとうけんちくこうしょう》の技《わざ》:木造建造物《もくぞうけんぞうぶつ》を受《う》け継《つ》ぐための伝統技術	2020年
風流踊《ふりゅうおどり》→ 142ページ・143ページ	2022年

〔文化庁《ぶんかちょう》「無形文化遺産」/2023年1月現在《げんざい》〕

国の重要無形民俗文化財《じゅうようむけいみんぞくぶんかざい》

文化財名《ぶんかざいめい》	掲載《けいさい》ページ
相馬野馬追《そうまのまおい》	50ページ
青森《あおもり》のねぶた	70ページ
弘前《ひろさき》のねぷた	72ページ
秋田《あきた》の竿灯《かんとう》	74ページ
吉田《よしだ》の火祭《ひまつり》	90ページ
長崎《ながさき》くんちの奉納踊《ほうのうおどり》	96ページ
高千穂《たかちほ》の夜神楽《よかぐら》	110ページ
野沢温泉《のざわおんせん》の道祖神《どうそじん》祭《まつ》り	118ページ
鳥羽《とば》の火祭《ひまつ》り	124ページ
八戸《はちのへ》のえんぶり	126ページ
西大寺《さいだいじ》の会陽《えよう》	128ページ
修正鬼会《しゅじょうおにえ》	132ページ

ユネスコ無形文化遺産

国の重要無形民俗文化財

国の重要有形民俗文化財

長崎《ながさき》くんち

日本のユネスコ無形文化遺産（お祭り関連《かんれん》）ユネスコ 無形

ユネスコ遺産名《いさんめい》	場所	開催日《かいさいび》と内容《ないよう》
大日堂舞楽《だいにちどうぶがく》	秋田《あきた》県鹿角《かづの》市	1月2日。奈良《なら》時代から八幡平《はちまんたい》の大日堂に奉納《ほうのう》されている。
早池峰神楽《はやちねかぐら》	岩手《いわて》県花巻《はなまき》市	8月1日。修験者《しゅげんじゃ》の祈祷《きとう》の舞《まい》が神楽《かぐら》になったといわれる。
題目立《だいもくたて》	奈良《なら》県奈良市	10月12日。成人儀礼《せいじんぎれい》として演《えん》じられる源平合戦《げんぺいかっせん》の語り物芸《げい》。
佐陀神能《さだしんのう》	島根《しまね》県松江《まつえ》市	9月25日。佐太《さだ》神社の御座替祭《ござがえさい》に奉納される。
奥能登《おくのと》のあえのこと	石川《いしかわ》県能登町《のとちょう》ほか	12月5日・2月9日（138ページ）
秋保《あきう》の田植踊《たうえおどり》	宮城《みやぎ》県仙台《せんだい》市	5月15日（湯元《ゆもと》）ほか。もとは小正月《こしょうがつ》に、その年の豊作《ほうさく》を予祝《よしゅく》して踊《おど》られた。
壬生《みぶ》の花田植《はなたうえ》	広島《ひろしま》県北広島町《きたひろしまちょう》	6月第1日曜日。太鼓《たいこ》や笛を鳴らして田植唄《たうえうた》を歌いながら大勢《おおぜい》で田植えをする。
那智《なち》の田楽《でんがく》	和歌山《わかやま》県那智勝浦町《なちかつうらちょう》	7月14日（那智の扇祭《おうぎまつ》り・60ページ）に奉納される。

山・鉾《ほこ》・屋台行事 ① ユネスコ 無形

ユネスコ遺産名《いさんめい》	場所	開催日《かいさいび》
八戸三社大祭《はちのへさんしゃたいさい》の山車《だし》行事	青森《あおもり》県八戸市	7月31日～8月4日
土崎神明社祭《つちさきしんめいしゃさい》の曳山《ひきやま》行事	秋田《あきた》県秋田市	7月20日・21日（土崎港《つちざきみなと》山まつり）
花輪祭《はなわまつり》の屋台行事	秋田県鹿角《かづの》市	8月19日・20日（花輪ばやし）
角館祭《かくのだてまつ》りのやま行事	秋田県仙北《せんぼく》市	9月7日～9日（角館のお祭り）
新庄《しんじょう》まつりの山車《やたい》行事	山形《やまがた》県新庄市	8月24日～26日
有形 日立風流物《ひたちふりゅうもの》	茨城《いばらき》県日立市	4月上旬《じょうじゅん》の日立さくらまつり ほか（18ページ）
烏山《からすやま》の山あげ行事	栃木《とちぎ》県那須烏山《なすからすやま》市	7月第4土曜日前後3日間（山あげ祭《まつり》）
鹿沼今宮神社祭《かぬまいまみやじんじゃさい》の屋台行事	栃木県鹿沼市	10月第2土・日曜日（鹿沼秋まつり）
川越氷川祭《かわごえひかわまつり》の山車《だし》行事	埼玉《さいたま》県川越市	10月第3土・日曜日（川越まつり）
有形 秩父祭《ちちぶまつり》の屋台行事と神楽《かぐら》	埼玉県秩父市	12月3日（秩父夜祭・112ページ）
佐原《さわら》の山車《だし》行事	千葉《ちば》県香取《かとり》市	7月10日直後の金・土・日と10月第2土曜日前後3日間（佐原の大祭《たいさい》）
有形 高岡御車山祭《たかおかみくるまやままつり》の御車山行事	富山《とやま》県高岡市	5月1日（34ページ）
城端神明宮祭《じょうはなしんめいぐうさい》の曳山行事	富山県南砺《なんと》市	5月4日・5日（城端曳山祭《ひきやままつり》）
魚津《うおづ》のタテモン行事	富山県魚津市	8月第1金・土日曜日（たてもん祭り）
青柏祭《せいはくさい》の曳山行事	石川《いしかわ》県七尾《ななお》市	5月3日～5日
有形 高山祭《たかやままつり》の屋台行事	岐阜《ぎふ》県高山市	4月14日・15日／10月9日・10日（32ページ）

※赤字はこの本で紹介《しょうかい》しているお祭りです。

山・鉾《ほこ》・屋台行事② ユネスコ 無形

ユネスコ遺産名《いさんめい》	場所	開催日《かいさいび》
古川祭《ふるかわまつり》の起《おこ》し太鼓《だいこ》・屋台行事	岐阜県飛驒《ひだ》市	4月19日・20日
大垣祭《おおがきまつり》の軕《やま》行事	岐阜県大垣市	5月15日直前の土・日曜日（大垣まつり）
犬山祭《いぬやままつり》の車山《やま》行事	愛知《あいち》県犬山市	4月第1土・日曜日
知立《ちりゅう》の山車《だし》文楽《ぶんらく》とからくり	愛知県知立市	5月2日・3日（知立まつり）
亀崎潮干祭《かめざきしおひまつり》の山車《だし》行事	愛知県半田《はんだ》市	5月3日・4日
尾張津島天王祭《おわりつしまてんのうまつり》の車楽舟《だんじりぶね》行事	愛知県津島市	7月第4土曜日と翌日《よくじつ》（68ページ）
須成祭《すなりまつり》の車楽船《だんじりぶね》行事と神葭《みよし》流し	愛知県蟹江町《かにえちょう》	7月上旬《じょうじゅん》〜10月下旬《げじゅん》
桑名石取祭《くわないしどりまつり》の祭車《さいしゃ》行事	三重《みえ》県桑名《くわな》市	8月第1日曜日と前日
鳥出《とりで》神社の鯨船《くじらぶね》行事	三重県四日市《よっかいち》市	8月14日・15日（鯨船まつり）
上野天神祭《うえのてんじんまつり》のダンジリ行事	三重県伊賀《いが》市	10月25日直前の金・土・日曜日
長浜曳山祭《ながはまひきやままつり》の曳山《ひきやま》行事	滋賀《しが》県長浜市	4月9日〜17日（長浜曳山まつり・30ページ）
有形 京都祇園祭《きょうとぎおんまつり》の山鉾《やまほこ》行事	京都府《ふ》京都市	7月1日〜31日（54ページ）
博多祇園山笠《はかたぎおんやまかさ》行事	福岡《ふくおか》県福岡市	7月1日〜15日（56ページ）
戸畑祇園大山笠《とばたぎおんおおやまがさ》行事	福岡県北九州市	7月第4土曜日前後3日間
日田祇園《ひたぎおん》の曳山行事	大分《おおいた》県日田市	7月20日直後の土・日曜日
唐津《からつ》くんちの曳山行事	佐賀《さが》県唐津市	11月2日〜4日（98ページ）
八代妙見祭《やつしろみょうけんさい》の神幸《しんこう》行事	熊本《くまもと》県八代市	11月22日・23日（106ページ）

博多祇園山笠《はかたぎおんやまかさ》

祇園祭《ぎおんまつり》

来訪神《らいほうしん》：仮面《かめん》・仮装《かそう》の神々《かみがみ》 ユネスコ 無形

ユネスコ遺産名《いさんめい》	場所	開催日《かいさいび》
吉浜《よしはま》のスネカ	岩手《いわて》県大船渡《おおふなと》市	1月15日
米川《よねかわ》の水かぶり	宮城《みやぎ》県登米《とめ》市	2月初午《はつうま》の日
男鹿《おが》のナマハゲ	秋田《あきた》県男鹿市	12月31日、2月第2土曜日前後3日間（なまはげ柴灯《せど》まつり・122ページ）
遊佐《ゆざ》の小正月《こしょうがつ》行事	山形《やまがた》県遊佐町《ゆざまち》	1月1日（滝ノ浦《たきのうら》）、1月3日（女鹿《めが》）、1月6日（鳥崎《とりざき》）
能登《のと》のアマメハギ	石川《いしかわ》県輪島《わじま》市ほか	1月2日（輪島市門前町《もんぜんまち》）、1月14日と20日（輪島市輪島崎町《わじまざきまち》）、2月節分《せつぶん》（能登町《のとちょう》）
見島《みしま》のカセドリ	佐賀《さが》県佐賀市	2月第2土曜日
甑島《こしきじま》のトシドン	鹿児島《かごしま》県薩摩川内《さつませんだい》市	12月31日
悪石島《あくせきじま》のボゼ	鹿児島県十島村《としまむら》	旧暦《きゅうれき》7月16日
薩摩硫黄島《さつまいおうじま》のメンドン	鹿児島県三島村《みしまむら》	旧暦8月1日・2日
宮古島《みやこじま》のパーントゥ	沖縄《おきなわ》県宮古島市	旧暦9月上旬《じょうじゅん》（平良島尻《ひららしまじり》）、旧暦12月最後《さいご》の丑《うし》の日（上野野原《うえののばる》）

風流踊《ふりゅうおどり》① ユネスコ 無形

ユネスコ遺産名《いさんめい》	場所	開催日《かいさいび》
永井《ながい》の大念仏剣舞《だいねんぶつけんばい》	岩手《いわて》県盛岡《もりおか》市	不定期《ふていき》
鬼剣舞《おにけんばい》	岩手県北上《きたかみ》市・奥州《おうしゅう》市	藤原《ふじわら》まつり（36ページ）ほか
西馬音内《にしもない》の盆踊《ぼんおどり》	秋田《あきた》県羽後町《うごまち》	8月16日～18日（92ページ）
毛馬内《けまない》の盆踊《ぼんおどり》	秋田県鹿角《かづの》市	8月21日～23日
新島《にいじま》の大踊《おおおどり》	東京《とうきょう》都新島村《にいじまむら》	8月14日（若郷《わかごう》）、8月15日（本村《ほんそん》）
小河内《おごうち》の鹿島踊《かしまおどり》	東京都奥多摩町《おくたままち》	9月第2日曜日
下平井《しもひらい》の鳳凰《ほうおう》の舞《まい》	東京都日の出町《ひのでまち》	9月29日前後の日曜日
チャッキラコ	神奈川《かながわ》県三浦《みうら》市	1月15日
山北《やまきた》のお峰入《みねい》り	神奈川県山北町《やまきたまち》	不定期
綾子舞《あやこまい》	新潟《にいがた》県柏崎《かしわざき》市	9月第2日曜日
大《だい》の阪《さか》	新潟県魚沼《うおぬま》市	8月14日～16日
無生野《むしょうの》の大念仏《だいねんぶつ》	山梨《やまなし》県上野原《うえのはら》市	旧暦《きゅうれき》1月16日と新暦《しんれき》8月16日
跡部《あとべ》の踊《おど》り念仏《ねんぶつ》	長野《ながの》県佐久《さく》市	4月第1日曜日
和合《わごう》の念仏踊《ねんぶつおどり》	長野県阿南町《あなんちょう》	8月13日～16日

チャッキラコ

※赤字はこの本で紹介《しょうかい》しているお祭りです。

風流踊《ふりゅうおどり》② ユネスコ 無形

ユネスコ遺産名《いさんめい》	場所	開催日《かいさいび》
新野《にいの》の盆踊《ぼんおどり》	長野県阿南町	8月14日〜16日と第4土曜日
郡上踊《ぐじょうおどり》	岐阜《ぎふ》県郡上市	7月第2土曜日〜9月第1土曜日（郡上おどり・62ページ）
寒水《かのみず》の掛踊《かけおどり》	岐阜県郡上市	9月第2日曜日と前日
徳山《とくやま》の盆踊《ぼんおどり》	静岡《しずおか》県川根本町《かわねほんちょう》	8月15日
有東木《うとうぎ》の盆踊《ぼんおどり》	静岡県静岡市	8月15日
綾渡《あやど》の夜念仏《よねんぶつ》と盆踊《ぼんおどり》	愛知《あいち》県豊田《とよた》市	8月10日と8月15日
勝手《かって》神社の神事踊《しんじおどり》	三重《みえ》県伊賀《いが》市	10月第2日曜日
近江《おうみ》のケンケト祭り長刀振《なぎなたふ》り	滋賀《しが》県	4月23日前後の日曜日（東近江《ひがしおうみ》市）、5月3日（竜王町《りゅうおうちょう》）ほか
近江湖南《こなん》のサンヤレ踊《おど》り	滋賀県	5月3日（草津《くさつ》市）、5月4日（栗東《りっとう》市）
やすらい花《ばな》	京都《きょうと》府京都市	4月第2日曜日（今宮《いまみや》神社ほか）、5月15日（上賀茂《かみがも》神社ほか）
京都の六斎念仏《ろくさいねんぶつ》	京都府京都市	8月お盆《ぼん》前後（西方寺《さいほうじ》・壬生寺《みぶでら》・清水寺《きよみずでら》ほか）
久多《くた》の花笠踊《はながさおどり》	京都府京都市	8月24日
阿万《あま》の風流大踊《ふりゅうおおおどり》小踊《こおどり》	兵庫《ひょうご》県南《みなみ》あわじ市	9月15日前後の日曜日
十津川《とつかわ》の大踊《おおおどり》	奈良《なら》県十津川村	8月13日〜15日
津和野弥栄《つわのやさか》神社の鷺舞《さぎまい》	島根《しまね》県津和野町《つわのちょう》	7月20日と27日
大宮踊《おおみやおどり》	岡山《おかやま》県真庭《まにわ》市	7月下旬《げじゅん》〜8月下旬
白石踊《しらいしおどり》	岡山県笠岡《かさおか》市	8月13日〜16日
西祖谷《にしいや》の神代踊《じんだいおどり》	徳島《とくしま》県三好《みよし》市	旧暦6月25日
滝宮《たきのみや》の念仏踊《ねんぶつおどり》	香川《かがわ》県綾川町《あやがわちょう》	8月第4日曜日
綾子踊《あやこおどり》	香川県まんのう町《ちょう》	8月末《まつ》〜9月初《はじ》めの日曜日（隔年《かくねん》）
感応楽《かんのうがく》	福岡《ふくおか》県豊前《ぶぜん》市	4月30日と5月1日（隔年）
平戸《ひらど》のジャンガラ	長崎《ながさき》県平戸市	8月14日・15日・16日・18日（地区による）
対馬《つしま》の盆踊《ぼんおどり》	長崎県対馬市	8月お盆
大村《おおむら》の郡三踊《こおりさんおどり》	長崎県大村市	10月〜11月のおおむら秋まつり ほか
野原八幡宮風流《のばらはちまんぐうふうりゅう》	熊本《くまもと》県荒尾《あらお》市	10月15日
吉弘楽《よしひろがく》	大分《おおいた》県国東《くにさき》市	7月第4日曜日
五ケ瀬《ごかせ》の荒踊《あらおどり》	宮崎《みやざき》県五ヶ瀬町《ごかせちょう》	9月第4日曜日

郡上《ぐじょう》おどり

山折哲雄（やまおり・てつお）
宗教学者、評論家。1931年、サンフランシスコ生まれ。1954年、東北大学インド哲学科卒業。国際日本文化研究センター名誉教授（元所長）、国立歴史民俗博物館名誉教授、総合研究大学院大学名誉教授。『世界宗教大事典』（平凡社）、『仏教とは何か』（中公新書）、『「ひとり」の哲学』（新潮選書）、『ひとりの覚悟』（ポプラ新書）、『ブッダに学ぶ老いと死』（朝日新書）など著書多数。

いとうみつる
ほのぼのとした雰囲気のなか、“ゆるくコミカル”な感覚のキャラクターが人気のイラストレーター。『栄養素キャラクター図鑑』をはじめとするキャラクター図鑑シリーズ（日本図書センター）、『こどもおしごとキャラクター図鑑』（宝島社）など著書多数。

小松事務所（こまつじむしょ）
宗教・歴史・実用を中心に原稿執筆・編集制作を行う本づくり職人集団。『わが家の宗教を知るシリーズ』全23巻（双葉社）、『味わい、愉しむ きほんの日本語』（齋藤孝著・実務教育出版）など多数。

キャラ絵で学ぶ！ **日本のお祭り図鑑**

2024年6月12日　第1刷発行

監修：**山折哲雄**
絵：**いとうみつる**
文：**小松事務所**

発行者：**徳留慶太郎**
発行：株式会社 **すばる舎**
〒170-0013 東京都豊島区東池袋3-9-7 東池袋織本ビル
TEL. 03-3981-8651（代表）／03-3981-0767（営業部）
FAX.03-3981-8638
URL　https://www.subarusya.jp/

出版プロデュース：中野健彦（ブックリンケージ）
編集協力：小松卓郎／小松幸枝
デザインDTP：秋山京子
校正：川平いつ子
編集担当：大原和夏（すばる舎）

印刷・製本：株式会社光邦

【参考文献】
祭りの事典／東京堂出版
日本と世界の祭り／小学館
日本の祭り大図鑑（芳賀日向監修）／PHP研究所
日本の祭り 知れば知るほど（菅田正昭著）／実業之日本社
文化遺産オンライン／文化庁　https://bunka.nii.ac.jp/

ISBN978-4-7991-1221-2